Catalina et les mocassins rouges
Marcher devant Parkinson

Catalina Rancurel

Catalina et les mocassins rouges
Marcher devant Parkinson
Roman

LE LYS BLEU
ÉDITIONS

© Lys Bleu Éditions – Catalina Rancurel

ISBN : 979-10-377-3531-7

N'attends pas que les évènements arrivent comme tu le souhaites ;
Décide de vouloir ce qui arrive ;
Et tu seras heureux !

Épictète

Dédicaces

À mon mari

[...] Deux êtres se sont aimés parce qu'ils se sont regardés. C'est comme cela qu'on s'aime et uniquement comme cela. [...] Rien n'est plus réel que ces grandes secousses que deux âmes se donnent en échangeant cette étincelle.

Victor Hugo

À mes parents

Il y a plus de fleurs pour ma mère, en mon cœur, que dans tous les vergers [...] Et bien plus de baisers pour ma mère, en mon cœur, qu'on en pourrait donner.

Maurice Carême

[...] Si j'écris papa, tout devient caresse, et le monde me berce en chantant dans tes bras.

Maurice Carême

Préface

Je propose une brève réflexion sur les notions élémentaires de plaisir et de bonheur. Simples pensées, puisqu'elles sont miennes. Puis, suivront des récits relatant fidèlement des épisodes de ma vie. Ces derniers ont une particularité, ils deviennent, au fil de la lecture, de plus en plus colorés, plaisants et lumineux, ce malgré un incongru qui s'est installé dans mon existence en silence. Volontiers, à la moindre occasion, je prends cet intrus, avec dérision et décide clairement de ne pas l'appeler par son véritable nom. J'ai gagné bien des batailles, aujourd'hui, je vais visiblement mieux. La neurologue m'a lancé, récemment, avec un large sourire « Vous êtes le rayon de soleil de ma journée » !

Ce livre s'adresse aux lecteurs ayant rencontré Parkinson. Mais pas uniquement, il peut utilement servir à chaque individu se trouvant face à la difficulté. Quelle qu'en soit la nature, pathologies ou autres aléas de l'existence. Comment parvenir à demeurer droit et résistant ? Comment vous entraîner à développer réflexions philosophiques et sagesses existentielles. Mais aussi, vous engager résolument dans l'action. Vaillamment, vous diriger en avant tout comme le soleil levant, en accompagnant son parcours d'Est en Ouest, y compris par périodes nuageuses ou par fortes tempêtes.

Un récit autobiographique qui pourrait éviter à certains de pâlir !

Commençons

J'ai choisi de débuter cette véritable histoire par une phrase à l'allure, apparemment, insignifiante !

Une petite lumière s'est déclenchée, en moi, grâce aux grands déjeuners dominicaux de chez nous, la famille Rancurel, préparés minutieusement par ma mère. Curieusement, ce n'est pas le fait qu'elle soit, certes, bonne cuisinière qui m'a interpellée. Mon étincelle fut attisée par toute autre chose !

Alors de quoi s'agit-il ? À ce questionnement, je vais répondre rapidement ! J'évoque ici une formule brève et innocente. Oui, une phrase qui éclate spontanément, telle une jolie et légère bulle… Faisant s'échapper de doux funambules. De petits mots s'élevant délicatement vers la Lune et pour l'éternité ont marqué mon inconscient d'enfant !

Tous ces souvenirs demeurent gravés finement dans mon esprit d'adulte.

« Par quelque chose, il faut commencer », disait ma mère, avec un bien-être perceptible, lorsqu'elle annonçait le premier plat du repas. Ainsi, maman a continuellement été à la recherche minutieuse de diverses saveurs délicieuses pour notre plus grand bonheur ! Dans une jolie assiette, nous découvrions de nouvelles entrées variées.

Ces plats nous étaient systématiquement proposés, après qu'elle eut pris soin de les tester, avec l'avis approbateur de mon père, l'unique membre du jury ! Cette noble mission de dégustation représentait un peu sa gloire et lui permettait de fixer notes et appréciations des plus flatteuses.

De ces belles découvertes, nous lui faisions de sincères compliments ! Elle cherchait, sans relâche, à satisfaire ses enfants.

À ce moment précis, elle nous répondait aimablement par cette phrase succincte. Ses lèvres fines s'habillaient d'un humble sourire, illuminant davantage ses yeux noirs pétillants, toujours soulignés d'un joli tracé de crayon bleu.

À présent, vous connaissez la naissance de la formulette devenue historique. Vous comprendrez, pourquoi j'ai choisi, moi aussi, de débuter mon récit par un dîner. Un repas d'un type quelque peu particulier, il vous plongera délicatement dans de premières réflexions.

Aujourd'hui, je reçois

Une grande tablée familiale, avec quelques amis invités, réunis autour d'un bon repas. Mais… et le décor ? Je propose de vous le créer. Il vous suffit de lire et d'autoriser vos idées à vagabonder.

Alors, jouez le jeu, tentez et soyez curieux. Laissez-vous guider tout en fermant les yeux… Imaginez dans quel décor vous aimeriez que la performance des acteurs ait lieu, ainsi vous choisissez la couleur des murs, le mobilier. Conservez votre concentration et fixez-vous sur des détails qui voyagent tels de petits nuages dans votre esprit. Puis, visualisez l'intensité de la luminosité traversant cette salle à manger. Bel endroit où la table est déjà dressée d'une manière des plus soignée.
Peut-être un lieu complètement imaginaire ? Ou alors, si cela peut vous plaire, projetez-vous dans un univers qui vous est déjà familier.

Laissez-vous envahir par l'ivresse. Faites que votre imaginaire se dresse. Prenez, lentement, le temps de parfaire cette atmosphère.

Si vous êtes prêts maintenant, vous avez alors imaginé et visualisé l'endroit parfaitement approprié, celui qui vous plaît. Lieu où va se jouer la prochaine scène.

Vous avez planté votre propre décor, parce que vous avez été actifs et réactifs à ma proposition.

Oui, vous avez pris le temps !

Oui, vous avez fait l'effort, l'effort dans l'instant présent !

Plaçons cette petite expérimentation de côté. Inscrivons-la quelque part en mémoire. Car le fondement de celle-ci, vivre dans l'instant, est un élément fondamental. Il est fort souhaitable de se l'approprier, telle une belle et riche habitude.

Personnellement, face à ma bataille, contre celui qui m'assaille, ou du moins qui tente de poursuivre cette tâche, le fait de vivre dans la minute m'aide à demeurer en position grandie devant lui.

Les préparatifs

Les invitations sont lancées, j'ai même déjà réfléchi à mon plan de table esquissé sur un papier buvard. Oui, il y a quelques années, la minutie, la précision, tout dans ma vie devait s'approcher le plus possible de la perfection !

« Carpe diem » j'en ignorais complètement la définition.

Cela est bien dommage, mais il est toujours temps de devenir plus sage.

Il n'est jamais trop tard pour redonner à la vie sa part de hasard !

À présent, il va falloir se mettre aux fourneaux ! Auparavant, me poser des questions en ce qui va concerner le choix, la succession, de la petite farandole de plats. Puis, après des heures de travail, j'attends toujours, avec impatience, le moment du partage, de la dégustation, de la convivialité.

Pendant le repas, les personnes autour de la table pourront, entre deux discussions et l'attente des mets, se projeter et faire l'analyse d'un nouveau tableau. Une toile que la maîtresse des lieux, autrement dit moi, Catalina, a récemment accroché à la hauteur de leurs yeux.

Pour cette commande particulière, le peintre, du bout de ses pinceaux, s'est lancé dans la réalisation de mes attentes. Un tableau *Chef-d'œuvre d'une vie,* représenté au travers des courbes d'un beau paysage fait de collines montantes, de plaines plates et verdoyantes, de ravins creusés ou de douces vallées.

L'artiste a joué des teintes de sa palette, pour faire ressortir de sa composition des zones d'ombre, couvertes de nuages. À d'autres endroits figurent les effets d'une merveilleuse luminosité dans un ciel laissant passer des faisceaux éclairés de sérénité.

À partir de cette page, vous connaissez l'existence, bien loin d'être anodine, de mon tableau. Mes moments de vie s'y cachent, telles des énigmes.

Nous avons tous notre propre tableau *Chef-d'œuvre d'une vie !*

Il est temps de revenir en cuisine. Si je me surprends à comparer la préparation d'un dîner avec le tapis de la vie qui se déroule sous mes pas : eh bien ! C'est simple…

Tout ce que j'avais prévu pour mon repas, tout ce que j'avais longuement pensé, va plus ou moins bien se réaliser. Car il y aura de mauvaises surprises, comme un mets trop cuit ou pas assez, voire trop salé !

Bref, malgré le self-control, dont je m'étais habillée, la préparation ne s'est pas tout à fait passée comme je l'avais imaginée ! Il y aura quelques ratés, ce malgré ma bonne volonté, ce qui ne s'est pas effectué comme je l'avais prévu, c'est le destin qui l'a voulu !

Cependant, il y a de belles réussites comme les feuilletés à l'apéritif, une pure merveille ! L'accompagnement du plat principal est un régal pour nos papilles, le dessert est un délice !
Finalement, tout ne va pas si mal ! Je dirai même que tout va plutôt bien ! Il y a tellement de bonnes choses.

Ce repas fait écho à mon nouveau tableau, *Chef d'œuvre d'une vie*. C'est ainsi que va l'existence, ce que vous aviez programmé, imaginé, envisagé : bonheurs, plaisirs et surprises. Cependant, vous rencontrerez, immanquablement, des déceptions et quelques malheurs. Oui ! Votre destinée, au fil des années, même bien pensée et projetée, sera toujours différente de celle que vous attendiez.

J'appellerai cela, les *cartes du destin*. Elles sont ainsi distribuées, c'est avec ces cartons rectangulaires, tenus en main, qu'il va falloir jouer la partie de notre histoire. Dévoilez-vous audacieux, tirez le meilleur du jeu maintenu entre vos doigts.

À partir de cette nouvelle page, vous connaissez l'existence, des *cartes du destin*. Tout au long de mon récit, elles vont me conduire à les manipuler, les piocher ou les abattre une multitude de fois. Certaines parties seront victorieuses, d'autres simplement et banalement gagnantes, quelques-unes seront ennuyantes, les dernières seront perdantes.

Nous avons tous notre propre jeu de *cartes* ! Tentez de mener à bien le plus de tournois, totalisez le plus grand nombre de points, maîtrisez vos atouts, faites preuve de réflexion. Cependant, comme dans tout jeu, il y aura toujours la place, inévitable, que se réserve ce fameux hasard.

Soyez certain même si la vie place, insidieusement, sur votre chemin de mauvaises rencontres, vous restez l'initiateur, le principal écrivain de nombreux chapitres du roman de votre existence !

Vous voilà munis de deux choses curieuses et pourtant pleines d'importance. Deux objets concrets dont vous ignoriez l'existence : le tableau *Chef-d'œuvre d'une vie* et le jeu *de cartes du destin*. Poursuivons nos acquisitions avec le survol d'autres notions…

De qui, de quoi est née mon envie d'écrire ?

Je me souviens parfaitement, c'était un soir de 1er juin. J'ai alors décidé de me lancer dans une nouvelle thérapie nommée l'écrit. Action bien connue pour ses diverses vertus. Je me suis rapidement aperçue de ses réels bienfaits. C'est incontestable, coucher des mots transmetteurs de pensées sur le papier permet de s'en libérer ou encore d'analyser ses émotions. Il est important de les connaître et de savoir grandir avec ! Je vous assure, noter ses impressions, ses idées, ses sentiments aide à se sentir plus léger.

Mon entourage a insisté pour que mes pensées se transforment en messages. Avec le temps, cela devient un plaisir, voire un loisir. Je vous encourage à prendre la plume pour en faire bon usage !

La famille

En cette belle soirée de printemps, ma belle-sœur a pris le temps de m'expliquer qu'elle avait lu mes derniers textes. Ces écrits l'avaient surprise. Il s'agissait à cette époque de « La saga de l'été » !

Petits récits adressés quotidiennement à mes parents et mes frères. Une sorte de compte à rebours ! Manière personnelle, d'avaler ma pilule, sur laquelle était inscrit :

« 5 X 10 = ? »
Histoire de réviser les tables de multiplication !

Les collègues

Petit retour dans le passé… Il y a déjà plus d'une année, le directeur de mon école à qui j'avais envoyé un long message de soutien et d'amitié ; très touché, par mes paroles, m'avait encouragée à rédiger.

Ce monsieur est un beau sachet d'humanité et de bonheur ! Ce monsieur, homme généreux est, dans ce passage particulier de ma vie, un croisement très heureux !

Grâce à Christian pour ne pas le nommer ! Ce qui, pour le coup, est un peu loupé ! Ma psychanalyste évoquerait un acte manqué. Mais pour toute vérité, c'est un fait exprès ! De par sa présence à mes côtés, j'ai vécu de magnifiques années !

Maintenant, vous connaissez ma profession. J'essaie de dispenser les savoirs, pour le mieux, à mes petits écoliers.

Dans les chapitres suivants, je vais développer un sujet bien plus profond. Toutefois, sans me gêner, il y aura un soupçon, voire une bonne cuillerée de senteur fraîche et gaie ! Pour aborder ce thème, il n'est pas nécessaire de garder l'ensemble de son sérieux.

Savoir faire preuve de légèreté, même contre l'adversité. Afficher un léger et discret sourire intérieur de bonheur assouplissant les muscles de votre visage.

Ainsi, le fait d'avoir les traits détendus jouera, sans que vous vous en aperceviez, sur votre respiration. Elle deviendra moins saccadée et plus profonde. Tout cela déclenchera une source de bien-être intérieur.

À n'importe quel moment de la journée, dès que vous y pensez, laissez paraître ce discret relèvement des coins de la bouche, sans oublier de vous concentrer sur votre souffle.

Lorsque j'inspire, je calme mon corps. Lorsque j'expire, je pense à sourire : ainsi, je demeure dans l'espace maintenant. Je sais, depuis peu, en mesurer l'importance ! À force de vous entraîner, cela deviendra finalement presque une habitude.

Le sourire que tu envoies revient vers toi !

Sagesse hindoue

Revenons à cette belle soirée de printemps, où nous passions un bon moment, en famille. Au bout de ma terrasse, mon petit cocon de coton, nous avons observé les premiers bourgeons. C'est l'heure où vont naître les fleurs. Les roses multicolores vont éclore, les lavandes vont surprendre, les lauriers roses, rouges, blancs vont se mettre à danser.

Déjà se font entendre ces bruits, à peine audibles, pourtant si agaçants ! J'évoque ici les petits sons vibrants provenant de ces insectes volants, nommés moustiques, dont on préférerait se débarrasser et éviter de passer des semaines à gonfler !

.

Bref ! Cela n'est pas si grave, devant cet émerveillement suave. Toute cette nature, plus ou moins sauvage, nous rappelle d'être sages.

Il y a aussi la possibilité, s'ils nous ont déjà beaucoup piqués et agacés de fermer les fenêtres, avant de ressembler à l'acteur Coluche qui dans le film « Banzaï » gonfle de manière peu banale ! Seuls les gens de mon âge comprendront là ce message, car ils ont vu le film de ce comédien.

Mais pourquoi, Catalina, nous parle-t-elle de ce Monsieur ?

En voici la raison, ce personnage est, celui-là même qui aujourd'hui dans tous les yeux demeure, le créateur de ce que l'on nomme : les restos du cœur !

Ce drôle de bonhomme a laissé, au travers de cette idée révolutionnaire, pour l'éternité, une initiative, plus encore, un bouquet de tiges d'espoir, tiges d'entraide, d'une telle splendeur, qui a bien des gens font chaud au cœur !

Faire du bien aux autres, c'est se faire du bien à soi-même ! Donner enrichit plus que recevoir. Pour « aller mieux », essayez de faire preuve d'altruisme aussi souvent que vous le pourrez ! C'est une bonne règle à instaurer.

Si cette attitude fait déjà partie de vos habitudes ; alors, poursuivre sur ce chemin. À chaque détour, il vous apportera tant de bien.

Si cette pratique ne vous est pas coutumière, je vous engage à prendre un petit bagage vide. Puis, essayez un peu, de temps en temps, à l'occasion, de mener des actions, d'aider, de rendre de petits services, à des gens que vous connaissez un peu, pas du tout, ou beaucoup. À l'instant, où vous verrez une lueur de remerciement dans leurs yeux…

Dès que vous aurez vécu un moment heureux, placez-le en souvenir, dans ce bagage.

Au fur et à mesure, en rangeant vos expériences bien pliées, un bien-être viendra subtilement vous envahir ! Oui, la chaleur humaine est la plus agréable des chaleurs !

C'est en essayant encore et encore que le singe apprend à bondir !

Proverbe africain

Dans les derniers chapitres de mon histoire, j'ai réuni quelques écrits de personnes, dans les yeux desquelles j'ai vu cette lueur ! Tellement vue, quelques fois, que je l'ai ressentie en plein cœur !

Dans une intention toujours positive, j'ai provoqué, dans ma profession, quelques larmes de pleur… En deuxième année de maternelle, j'ai bien souvent détecté des troubles sévères de l'apprentissage, du comportement ou du langage. Eh bien, lorsque vous êtes la première à faire une telle annonce, ce n'est pas facile !

Cependant, ces larmes, même celles qui, au début de mes propos, étaient de tristesse, se sont toujours transformées, avec le temps, en larmes de joie et de remerciement !

Ce n'est pas une valise, non ! Ce sont des malles de bonheur que je me suis ainsi remplie ! Sans même m'en rendre compte, car cette pratique m'est très vite devenue coutumière !

Si au début, la préoccupation du sort d'autrui vous paraît difficile alors, il vous faudra persévérer.

Il est indispensable d'éprouver de la considération envers les autres parce que notre propre bonheur est inextricablement lié au leur.

Dalaï-Lama

Vous venez d'effectuer, en mode avion, un premier repérage de notions telles l'altruisme, le sourire intérieur, les profondes respirations, le bonheur, la légèreté, l'humour, ou encore l'instant présent... Vous souhaitant un agréable atterrissage pour la suite des évènements.

Si... si... si ?

— Si je vous parle **d'humour**, si je m'étends à propos **d'altruisme**, de simples **sourires** qui ne coûtent rien mais qui apportent tellement.

— Si j'évoque la bienveillance.

— Si je philosophe sur les **petits bonheurs**, ou encore, si j'explique au travers de courts exemples à quel point il est important de profiter du **moment (scène du souper, admirer la végétation...).**

— Si j'aborde, furtivement, l'idée de **réapprendre à respirer** pour en retirer les meilleurs concentrés d'essences naturelles de **sagesse,** de réflexion, et savourer toute la merveille, de cet instant, **l'instant présent !**

Et si…

Toutes ces tentatives j'explore, pour toujours aller de l'avant.
Toutes ces réflexions me font grandir et devenir robuste.
Tout doucement la petite branche devient arbuste.
Puis devient arbre.
Et cet arbre devient un peu plus solide sous le vent.

Sagesse hindoue

Si je tente, si j'essaie toutes ces choses… Si je me sens grandir et bien plus forte, c'est parce que je suis face à l'ennemi. Mon objectif est de le laisser enchaîné dans sa tranchée et de l'oublier. Mes préoccupations ont fait cheminer ma raison vers toutes ces réflexions et la rédaction.

Comment développer et travailler son bonheur ? Sentiment, impalpable mais primordiale !

Le 2 mai 2018, 21 heures 09 indique le cadran du four. En ce début de printemps, il fait encore un peu jour. Sur la table extérieure de la terrasse, celle qui nous sert l'été de séjour, j'ai eu envie de poursuivre ma trace. Oui, je prends ma plume, seulement, si l'humeur me fait grâce ! Si ce n'est pas le cas… Alors, je me conduis vers d'autres duvets, ceux de ma douce et réconfortante couette.

Tirer un grand bénéfice de l'accumulation des petits bonheurs

Le réveil de la sieste

Je vous présente un premier exemple de petits moments gourmands de la vie, nul besoin d'aller chercher réellement loin, car ils sont fréquemment là dans un coin :

… Ainsi, sous d'autres plumes, dans ma chambre, aux tons délicats, je me réfugie dans la parure aux subtiles couleurs de blanc et de doré. Gracieusement, celles-ci parviennent à adoucir mon humeur. Oui, j'adore la couleur or, un soupçon intégrée au décor, elle fait d'une pièce une parure de chaleur, une atmosphère cotonneuse, un bonheur ronronnant. Je décris là, le plaisir extrême ! Simple, mais grandissime plaisir, après la sieste, ouvrir l'œil et scruter, encore mal éveillée, tout autour de moi, calme, ambiance pleine de délicatesse et de volupté !

Dans le midi, il existe une formule mentionnant que le soleil se lève deux fois : une fois le matin et une fois après la sieste ! Donc, par chaleur excessive, dans ma belle région méditerranéenne, j'ai la chance de vivre ces heures de plénitude à deux reprises dans la même journée ! Sans exagérer, il s'agit sincèrement d'instants de grande béatitude !

Ces moments particuliers, tels de beaux papillons aux multiples couleurs, sachez les attraper de l'œil et les observer, les sentir proches de vous et en apprécier la beauté… En deux mots, profitez de vivre dans la seconde !

Ainsi, dans un grand sac, vous apprendrez à mettre un tas de petits plaisirs, tout en vrac, Puis, unis entre eux, ils se transformeront en grands instants de bonheur !

Associer les bons moments du passé à ceux du présent

Je vais vous narrer, un second exemple, celui-ci émoustille mes neurones, car il mélange, de manière savante, dans mon esprit, deux époques et deux lieux différents, de ma vie, à 30 ans d'intervalle !

Si l'on pense, quelquefois, à s'arrêter sur ses ressentis et associer passé et présent, alors l'on vit encore un beau, bon, riche et émouvant instant de plaisir ! De simples pensées, de petits souvenirs qui, assemblés entre eux, se transformeront en de belles parois de joie ! Voici le contenu d'un bon moment de vie, un autre micro-événement à saisir pour édifier notre propre château de force et de lumière !

A) Temps : présent
   Lieu : chez nous, dans le sud

Toujours en ces mois de printemps bien chargés, nous avons reçu la visite de mon beau-frère et de ma belle-sœur. Ils nous ont apporté, tout droit venus du Beaujolais, deux cageots remplis de cerises.

Ces jolis bigarreaux au rouge pourpre ont, délicatement, avec amour, et patiemment, été cueillis par ma belle-maman sur ses gigantesques cerisiers au bout de son pré. Au milieu de ces herbes vertes, tout à côté de ces arbres majestueux, se situe une maison que j'ai toujours adorée !

Maison chaleureuse et accueillante, dans laquelle j'ai vite frôlé le sol, car dès l'âge de dix-sept ans, mon futur mari m'avait, alors, présentée à deux êtres délicieux, ses parents.

Nous n'avions dégusté ces petites billes au goût si particulier depuis bien longtemps.

Afin de remercier ma belle-mère, je lui ai écrit quelques lignes au travers d'un petit mot. Une courte lettre dans laquelle, je me suis moi-même surprise à penser, à rêver…

Du coup, dans ces phrases, j'évoque ce que représente à mes yeux, « Mon temps des cerises ».

B) Temps : il y a 30 ans
   Lieu : la région lyonnaise, chez mes parents

Je me souviens d'un temps
Où nous avions 20 ans
Un temps où nous habitions avec mes chers parents

Nous étions alors adolescents.
À chaque printemps

Le temps des examens
Je me souviens
Toujours en juin
Il me semble que c'était hier
Pourtant, c'est bien loin

Il fallait donc apprendre
Des noms, des dates, par cœur, dans ma mémoire suspendre
Mais aussi, savoir se détendre !

Pour moi, il s'agissait des quatre grands cerisiers
Je me souviens de ce passé

Pour les garçons, de ma promotion
Durant les révisions,
Leur coupure, un soupçon regarder la télévision
Le tennis... Roland-Garros
C'était là leur pause...

C'est avec une pointe de regret
Que je me souviens de ce passé
Ces quatre grands cerisiers
Qui se dressaient, le long du chemin de l'entrée

Ah ! Le temps des cerises...
Quelle gourmandise !
Les matchs de tennis
Les souvenirs dans ma tête retentissent !

Merci pour cette belle cueillette
Merci pour ces deux Cagettes
Dont le précieux contenu m'a rappelé
Un si beau passé

Si j'avais su
Que cette époque serait vite si loin
Alors, j'en aurais mangé tout plein !
Jusqu'à en devenir ventrue !

Ce moment passé à les ramasser
Ces instants pris à les déguster

M'ont rappelé un temps
Où nous avions 20 ans
Nous n'étions, alors, qu'adolescents
Je vivais chez mes chers parents
C'était, avec eux et chez eux, tous les jours...
MON plus beau printemps !

Amassez vos menus plaisirs de vie, rassemblez-les, tel un immense puzzle coloré. La manipulation de cet assemblage de pièces vous permet de créer, de renouveler, d'enrichir votre irremplaçable collection de moments de douce lueur.

Je viens de vous en présenter des exemples : « L'éveil de la sieste » et « Mon temps des cerises ». Il est simplement sublime de profiter de chaque instant à sa juste valeur.

Dans notre course éperdue, sur un circuit sans aucun intérêt, mis à part engendrer stress ou encore contrariétés... Nous perdons de vue l'essentiel : plaisir et bonheur !

Je vous parle de cette notion de l'effort, un élément essentiel à créer, un facteur existentiel à ne jamais perdre de vue. C'est un joker déterminant, jouant un rôle primordial, afin de vous permettre de demeurer, en grande partie, maître de votre futur.

Tout est relié par un fil robuste d'or. Tout comme un collier superbe sur lequel s'enfilent, inévitablement, les fameuses *cartes du destin* ! Celles dont il faudra se servir avec réflexion ou encore stratégie de joie et d'engouement pour l'existence, afin de gagner des parties superbes de vie !

D'une part, on peut choisir d'être heureux et, d'autre part, on cultive ce féerique et magnifique jardin particulier. Car si l'on ne prend pas soin de son bonheur, celui-là, même implanté dans la plus belle des plaines, finira alors irrémédiablement en friche !

Certaines pistes sont entrouvertes, nous sommes tout proche de l'entrée. Dans peu de temps, vous pousserez le grand portail, avancerez au cœur de mon propos, et indirectement du vôtre probablement.

La joie est dans tout ce qui nous entoure, il suffit de savoir l'extraire.

Confucius

Vers le profond propos de mon affaire

Dans le récit,
De cette partie de ma vie,

Je vais être amenée à vous parler de ma profession,
Y faire allusion est une obligation
C'est un métier avec lequel je suis en parfaite fusion
M'en priver serait une profonde désillusion !

Nous arriverons, très vite, à évoquer le véritable pourquoi,
La source qui m'a donné la foi
D'ouvrir des voies
Faire entendre ma voix !

Oh ! Oui, j'avais envie de parler, d'évoquer, de partager avec d'autres mon aventure. Car, à une certaine époque, j'ai justement cherché des témoignages. J'ai voulu me renseigner, assoiffée de questionnements. Bien déçue, de ne trouver essentiellement des ouvrages de descriptions purement médicales, franchement peu plaisants dans leur contenu ! Certes, il en faut !

Cependant, le récit d'une réalité est autrement enrichissant... Lire l'histoire d'une vie personnelle, entrer dans une certaine intimité de choses vécues, essayées, conseillées, est une approche apportant un autre visage à la réalité !

Résumé de mon scénario

Catalina est une femme de quarante-six ans, brune, souriante aux yeux noirs particulièrement expressifs. Dans son milieu professionnel les enfants, qu'ils aient quatre ans ou bien plus, l'ont toujours appelée « Madame Rancurel ».

De la maternelle, jusqu'aux élèves plus grands, en passant par la fonction de Directrice, elle a vécu avec plaisir, avec passion, avec émotion et investissement chaque instant.

Mais voilà qu'un imprévu apparaît dans son paysage. Cet intrus l'oblige à prendre sans concession, la direction d'un nouvel horizon. Afin d'archiver le dossier de sa première affaire, « dispenser les savoirs », elle procède à un retour en arrière. Mme Rancurel élabore un heureux condensé de toutes ces belles années passées. Rassembler souvenirs et pensées lui permet d'affiner son bilan.

La conclusion est sans appel : elle a énormément donné pour son métier. Les témoignages qu'elle a rassemblés l'attestent, « ce sont les parents qui les ont écrits » ! Elle s'est plus que dévouée ! Du moins, elle essaie de s'en persuader... car vivre sans sa profession va lui être difficile. En effet, Catalina et la maîtresse, en elle, sont complètement fusionnelles.

S'achèvent les temps passés de conjugaison. Mme Rancurel s'apprête à vivre le présent de sa récréation très particulière, elle a saisi toute l'importance future de sa nouvelle mission.

Catalina est envahie par l'ambition et la détermination. L'institutrice va mettre en application ses bonnes résolutions. C'est un plan simple qu'elle a élaboré en déroulant ses longues analyses. L'enseignante a mené ses investigations, la jeune femme a conduit son enquête et approfondi réflexions, philosophie, sagesse existentielle et humaine. Elle apprend à faire preuve de résilience. Telle la petite colline devenant grande montagne... Elle détient entre ses mains, son *jeu de cartes* avec une bonne pioche d'As ! Munie d'une liste d'anciens et de nouveaux stratagèmes permettant l'avancée de son tout dernier dossier.

Elle détient un Joker ! Une carte puissante, celle qui peut malmener l'adversaire ! Bonne pioche dans son *jeu du destin.*

Elle a troqué son trésor du passé, son métier, contre un amas de diamants des plus luisants, celui de cette fabuleuse carte temps ! Ainsi, elle aura le loisir de mettre en place projets et actions dans l'intention de le repousser. Catalina dévoile une série de récits, remplis de légèreté, relatant la vérité de son vécu. Fantaisie, malice et optimisme vagabondent tout au long de ces lignes.

Je n'ai pas eu besoin de passer d'audition, puisque je me suis vue directement propulsée en tête d'affiche. Le premier rôle, celui de la maîtresse, c'est, curieusement, moi Catalina !

Un jour peut-être, un Oscar ou un César me sera décerné ? Récompense pour l'immense talent avec lequel j'ai interprété ce rôle ? Je ne vous parlerai nullement du cachet que je n'ai d'ailleurs aucunement touché, car c'était un film à petit budget, malgré cela, il a suscité un certain intérêt !

Depuis plusieurs années, un colocataire a décidé de vivre à mes côtés, tout contre... Autant expliquer qu'il est dans mon corps et s'y est confortablement installé, sans me demander mon avis, ni même payer de loyer ! C'est ce que l'on nomme un squatter !

Ce dernier a un grand rôle, mais il est bien loin d'avoir la vedette,
Car celui-là est extrêmement malhonnête

Et en plus, ce dernier manque d'expérience
Pour qu'on lui accorde plus d'importance !

Nous avons souvent, lui et moi, des « prises de tête »
Mais je sais comment le renvoyer dans ses baskets…

Saperlipopette !

Les rôles des comédiens sont distribués. Moi, je joue donc l'héroïne et, comme dans tout schéma narratif, l'héroïne aidée d'objets ou d'êtres bienveillants parvient toujours, au bout d'une longue quête, semée d'embûches, à trouver des stratagèmes pour que l'histoire ait une fin des plus heureuse. Certes, l'avenir est en somnolence, mais je vais le rendre paisible. Il s'agit de faire que chaque avancée de ma longue traversée soit semée de luminosité et de gaieté.

L'essentiel est de posséder une forte volonté et la persévérance.
Goethe

J'ai donc appris, avec certitude, que nous avions tous une incidence sur les parcours de notre vie. Dès que je le peux, je saisis les manettes, je décide, j'influence, je choisis… J'ai donc orienté le peintre de mon tableau de vie. J'ai dévoilé mon ambition dans mes choix de couleurs claires, gaies et lumineuses ! À nous de savoir imposer certaines directions !

Avant tout, sachez que j'ai décidé d'être libre, libre pour être heureuse ! Me détacher de nombreuses contraintes, c'est là mon choix !

Choix personnel, pesé, réfléchi et analysé, car il se fait forcément au détriment de certaines autres choses, selon nos vies !

Quoi qu'il en soit, ce dernier est mien, car cette liberté est essentielle dans ma nouvelle existence !

Ne pouvant compter sur le faible soutien de mes trois fées, j'ai opté pour cette si belle réalité qu'est la liberté.

Ouvrez vos bras au changement, mais ne laissez pas s'envoler vos valeurs.

Dalaï-Lama

Du fait des fées ?

Pour l'heure, il est tard alors douce soirée, bonne nuit étoilée et que les fées remuent un peu le bout de leur nez !

Depuis bien longtemps, ces bécasses endimanchées ne sont plus à la hauteur de leur réputation. Il va falloir qu'elles réagissent, ces godiches, et qu'elles nous rappellent à quoi, jadis, elles servaient… Sinon ça va chauffer dans les chaudrons de leur mauvaise tambouille. Vas-y que je touille et touille, pour n'en obtenir qu'une mauvaise ratatouille.

Il va y avoir des plongeons forcés dans les chaudrons mal chauffés où toutes les potions sont ratées. Si elles ne se bougent pas, un peu plus vite, la partie de l'anatomie du bas de leur dos… Elles vont effectuer de grands sauts spatio-temporels ! Juste un petit coup de pied, bien placé, et fortement projeté, afin que ces bécasses tracent dans leur endroit natal ! Une fois arrivées au pays des bonnes fées, qu'elles se renseignent un peu, voire beaucoup, chez un de leurs libraires à propos de nouveaux ouvrages. Faire de la formation professionnelle continue ! Vite, se mettre à la page !

En 1969 ! Je ne sais nullement où elles étaient, avec leurs habits neufs ? Elles n'étaient point nombreuses au-dessus de mon berceau le 6 juillet. Les chapeautées ne se sont aucunement trop penchées, sinon cela se saurait !

Probablement, avaient-elles mal au dos, avec leur tas de vieux os ? Une lombalgie aiguë devait les menacer. C'est pour cela qu'elles ne se sont pas trop inclinées, par peur de rester bloquées !

Heureusement, ma mémoire profonde s'en souvient très bien ! Il y en avait quelques-unes, elles étaient trois ! Leurs petits noms me reviennent à l'esprit… Je remercie les dénommées :

Pimprenelle dont ma grande tante paternelle m'a beaucoup parlé. Celle-ci n'avait qu'une petite cervelle. Cependant, bien faite, qu'elle a eu la bonté de me léguer.

Articule avait la mauvaise habitude de parler très vite. Son débit de paroles était aussi rapide que les flots d'un beau torrent. C'est là l'héritage qu'elle m'a laissé.

Ryeuse était la troisième, celle-ci avait de grands yeux noirs très expressifs. La fée a eu la grande générosité de faire en sorte que les miens soient identiques aux siens.

On s'arrêtera donc là pour les nominées à la cérémonie des Césars !

Bref, mis à part ces-dernières, il y a quelques années déjà, elles ont disparu de tous les horizons !

Alors à moi de me débrouiller, de trouver mes solutions !

J'en ai décidé ainsi et, quand une de mes paroles est lâchée, même quatre chevaux seraient en peine pour la rattraper.

Proverbe chinois

Pour me dépatouiller de la situation, j'ai souhaité partager, dans les contenus des différents épisodes à venir, mes expériences de vie, les solutions trouvées pour limiter, voire stopper, par longs moments, les intrusions de mon squatter. Enfin, j'espère apporter de la lumière chez ceux confrontés à des problèmes similaires, de près ou de loin, aux miens.

Raconter cette nouvelle vie, depuis l'annonce du médecin qui vous assomme, en passant par les remises en question, enfin se lancer dans l'action.

Cohabiter, de façon acceptable, avec cet ennemi est possible !
Je vais vous narrer des réalités, des faits accumulés depuis des
années ! Bien loin des lignes académiques médicales qui vous
accablent.

Voici simplement ma vie depuis 2015. Oui, 2015,
officiellement diagnostiquée, cadeau bien enveloppé, dans un
papier spécialement décoré, le tout présenté de manière très
soignée, pour fêter mes quarante-six ans, de façon surprenante
et particulièrement marquante ! Mais le siège de l'assaillant
avait silencieusement débuté. Le premier symptôme s'étant
installé alors que j'avais approximativement trente-neuf ans !

Pendant ce temps, nous étions tous ignorants, parfaitement
insouciants, à mille lieues de soupçonner le plan du contrevenant
opérant lentement, mais sûrement !

Depuis, 2013, de nombreuses choses ne tournaient plus
normalement, corporellement, aussi bien physiquement que
mentalement. Paradoxalement, ce n'est qu'après… Bien
longtemps après, que nous avons fait des rapprochements !

Dans un premier temps, je vais vous parler d'une promesse
faite…

« Socrate a dit... »

Socrate, si tu m'entends ?

Il est tôt pour aller se coucher. Oublions de manière momentanée les fées.

Nous aurons le loisir d'y revenir, de manière anodine, pour vous révéler une petite partie de mes ennuis !

Ce soir, la fatigue pèse sur le stylo. Au début, j'avais décidé de ne pas écrire de mot, car l'énigme qui m'habite, suivant les jours, apparaît de manière subite et c'est alors que les lettres se déforment... Sur le papier, elles deviennent hiéroglyphes !

Dire que je suis enseignante et que la présentation des cahiers, de mes élèves, et la calligraphie sont pour moi, tout comme l'uniforme, un gage de réussite et de mérite.

Socrate a dit :
« La chute n'est pas un échec.
L'échec, c'est de rester là où on est tombé. »

Je réponds à Socrate, en toute humilité :

« Moi, Catalina Rancurel, je ne suis jamais restée
Là où je suis tombée !
Tout de suite, j'ai su me relever !
L'échec, je ne connaîtrai jamais ! »

Ce sont les forces de l'esprit enfouies, en moi-même, qui vont m'être d'une grande utilité ! Ma persévérance, ma ténacité faisaient déjà partie de mon caractère. Puis, au fil des années, ces traits se sont amplifiés par mon métier. Incontestablement, toute la chaleur et la lumière qui m'ont été renvoyées m'ont forgée. Oui, aujourd'hui, avec analyse et réflexion, je m'aperçois de l'immense valeur et des quantités incroyables de bienfaits dont mon travail m'a enrichie. C'est incroyable, mais si vrai. En toute sincérité et simplicité, vous lirez la manière subtile avec laquelle cette magie a opéré.

J'ai fait une première promesse à Socrate. Je vous révèle, dès à présent, qu'une seconde est inscrite dans mon esprit. Je l'ai prononcée tout en m'observant dans le miroir de mon avenir. Vous la découvrirez dans quelques chapitres.

Au moment des faits, nous habitions alors dans une maison à proximité d'un lac.

Depuis plus d'une quinzaine d'années, mon mari et moi étions descendus dans le sud de la France. Dans un premier temps, nous avions habité un petit pavillon, dans une ville en bord de mer. Trois ans après, car nous recevions souvent, nous avions décidé d'investir dans une maison, dans l'arrière-pays.

Cette villa était un lieu complètement dépaysant. Je me souviens, très bien, avoir dit à mes parents, alors que nous finissions à peine le déménagement...

Dans la maison du lac, nous vieillirons !

C'était une évidence, nous en étions alors persuadés. À la quarantaine, nous pensions savoir... savoir que nous savions tout !

Pourquoi tous ces changements dans ma vie ? Qu'arrive-t-il pour que je sois devenue « tranquille cigale » alors qu'avant, j'étais « pénible fourmi » ?

Toujours coquette, rien ne changera hormis une attirance toute nouvelle et apparemment surprenante, pour les mocassins en daim, précisément, ceux de couleur rouge ! Ils auront d'ailleurs une place, bien particulière, dans la composition de mon tableau *Chef d'œuvre d'une vie*.

Jean De La Fontaine aurait pu écrire...

(Bien entendu, mon propos est, ici, dérision ! Laissons à M. De La Fontaine ses lettres de noblesse !)

Garrigues, lavandes et cigales

La Méditerranée a bien des intérêts. Ici, je n'en citerai que deux.

Le premier, l'appel des profondeurs pour le plongeur.

Le second, le mail : « que faites-vous ce week-end ? On aimerait descendre vous faire un bisou ! »

Ah ! Je pense que si mon mari et moi habitions à Rouen, nous aurions sûrement moins d'engouement pour les fameux « petits coucous » !

« On ne veut pas vous déranger, Peut-être, aller à la plage et le soir au restaurant ! Le lendemain, partir en Italie, ce n'est pas trop loin de chez vous ! Comme ça, tu ne te mets pas en cuisine... »

C'est avec immense plaisir que nous faisions joyeusement de l'hébergement.

Depuis des années, je me régale à préparer et à recevoir la famille ou nos amis.

Suivant les goûts et les affinités, nous profitons bien évidemment de la plage, des marchés, des beaux paysages.

Nous faisons aussi de belles balades dans la garrigue et ses multiples sentiers enveloppés d'odeurs si agréables, telles celles de la lavande, du thym ou encore du romarin. S'y promener sans détour, découvrir, tout autour des alentours, ces plaisirs au coucher et au lever du jour.

Ici, il n'y a guère de nuages, le soleil est roi dans son ciel si bleu. Quant à la luminosité, elle est spécialement incroyable. Les couleurs sont d'une splendeur inégalable.

Cependant, voilà que pour des raisons alors inconnues, j'ai dû mettre un sacré coup de frein à mes invitations. J'avais changé, force, entrain, énergie n'étaient plus spécialement au rendez-vous. « La tornade ou la pénible fourmi Tourbillon » était devenue « La bise douce et légère ou la tranquille cigale. »

Ces deux minuscules bestioles dévoilent, au travers de chacune des fables un changement important !

Ces lignes auraient pu être les titres d'écrits cachés de M. De La Fontaine ! Les fables s'achèvent par une morale qui ouvre les portes sages et solides de la réflexion !

« La Tornade ou La Pénible Fourmi Tourbillon »

Oui, il fut un temps
Où j'étais toujours animée, continuellement en mouvement

Sans cesse en mode détonation et prévision
Des repas qui n'en finissaient pas, j'ai bousculé les traditions
La table, je débarrassais en rapide réaction

La vaisselle, le coup de balai et la plaque de cuisson
Toujours en vive action !

Ma maison était parfaitement lustrée
Les feuilles du ficus avaient tout intérêt à tomber
Dans le bac, avec soin, et point à côté !

La poussière n'avait pas le temps de se déposer
Une amie m'a confié
Tu lui fais tellement peur
Qu'elle ne passe plus par ton intérieur !

La petite fourmi Tourbillon avait alors un surnom qui rimait avec anticipation, réaction, adaptation, précipitation, action, détonation, perfection ! Plus jeune, j'étais dotée d'un grand dynamisme. J'étais persuadée de savoir… À mes yeux, la perfection était accessible et je devais la toucher du doigt de manière quasi-permanente, dans tous les moments de ma vie. Aujourd'hui avec le recul, j'analyse sur ma chaise à bascule, me disant, bien évidemment l'excellence n'existe pas.

La perfection n'est pas un but en soi. C'est le geste qui doit compter. Soyez juste dans les petits gestes quotidiens. Et votre vie sera une œuvre d'art.

Dôgen Zenji

« La Bise douce et légère ou La Tranquille Cigale »

Après avoir, pendant des années
Bien chanté durant tous ces étés
Me voilà désormais en mode décéléré
Sérénité, tranquillité
Aujourd'hui, j'ai changé !

J'ai une autre philosophie de vie, il a fallu que je m'y fasse
Mais au final ! C'est bien lorsque l'on se prélasse !

C'est épatant
Que d'apprendre à prendre son temps !

C'est même, oh ! combien confortable !
De toujours faire ce qui nous semble souhaitable
Sans malmener notre esprit par la tornade
D'écouter notre corps de manière aimable
Sincèrement, c'est une chose très avouable

J'ai vécu, un temps, dans une grande bousculade
Je me suis malmenée en me mettant sous une grosse cascade
J'ai vécu pour faire avancer ma grande parade !
Je suis heureuse qu'il n'y ait plus de cavalcade !

Désormais, sachant vivre dans l'instant
Profitant de chaque moment
Je l'écris et le crie fortement...
Mon présent est bien plus riche d'éclats de diamant !

Morale

C'est enfin maintenant que je découvre vraiment
Toutes les richesses que m'offre la vie !
Instantanément, je les saisis
J'ai appris à en profiter pleinement !

Sans vouloir me l'avouer, je m'étais bien rendu compte que la fourmi s'en était allée et avait déjà laissé sa place à son ami la cigale.

Nous sommes partis avec nos amis pour les vacances d'été, libertés tant espérées. Mais le jour du départ, ce n'est pas la même petite bête qui est montée à bord du bateau...

Oursins ! Planté de bâton !

Même la traversée de ma piscine devenait compliquée. Je ne pouvais m'expliquer, pourquoi je penchais inexorablement d'un côté ? Pourquoi j'avais tant de mal à avancer ? Moi qui suis à l'origine une bonne nageuse ! Je me suis dit de manière rageuse, « cette ménopause, cela change bien des choses ! »

Le temps a passé, j'avais toujours de bonnes raisons ! J'étais intimement et profondément persuadée qu'il y avait une logique à tout cela… Le changement d'humeur, la prise de poids, tout était lié à la ménopause, évidemment !

Je pensais aussi à mes petits élèves de quatre ans qui m'épuisaient plus qu'avant, moi avançant dans l'âge, ce n'était pas surprenant !

Vacances d'été tant attendues !

En juillet, nous sommes partis en vacances sur le bateau de Jacques et Isabelle, un couple d'amis très proche que nous fréquentons depuis notre adolescence. Mon mari et Jacques ne se sont jamais quittés depuis leurs quatorze ans. Nous nous connaissons par cœur ! Souvent, il arrive que nous n'ayons pas besoin d'employer de mots pour nous comprendre, un regard suffit.

Nous repartions, pour deux semaines entières, faire le tour de la Corse. Des vacances paradisiaques, paysages magnifiques, baignades avec masque, palmes, tuba. Notre amitié pour couronner le tout !

Comme d'habitude, lorsque nous sommes ensemble, nous partageons de merveilleux moments, des souvenirs pour l'éternité !

Cependant, en bouclant ma valise, j'étais bien loin de penser que ce séjour serait tout spécialement inoubliable. Villégiature tellement particulière, qu'elle allait faire prendre un grand virage à ma vie. Mais, cela j'étais bien loin de m'en douter en finissant de tirer sur la grosse fermeture éclair de mon bagage bleu.

Un jour, nous sommes partis en randonnée et nous avons frôlé de nos pieds la belle terre de la Corse. Les filles, Isabelle et moi, marchions devant et, les garçons, se sont trouvés derrière.

J'ai compris au bout d'un instant qu'ils parlaient de moi ?

Quelle mauvaise plaisanterie allaient-ils bien pouvoir manigancer ?

Je ne m'en étais pas aperçue immédiatement, mais cela faisait un bon moment que ces « deux coquins taquins » m'observaient !

Oui, lorsque ces deux-là sont ensemble, tout peut arriver. Ils sont tellement complices, de véritables « copains – coquins – taquins – malins » unis comme les doigts de la main !

C'est de là que tout est véritablement parti...

« Mais, Catalina tu as mal aux pieds ?

— Non ! Pourquoi cette question ?

— Comme ça ! On dirait que tu boites !

— Pas du tout !

— Tu ne bouges presque pas ton bras gauche.

— Mais évidemment, je fais de la randonnée trois fois par semaine et c'est de ce côté-là que j'ai ma gourde autour de la taille. J'ai pris une mauvaise habitude et mon bras bouge moins car la gourde l'empêche d'aller plus loin. »

Nous continuons notre avancée sur les sentiers. Puis, Jacques me propose alors un jeu bizarre. Il me demande de m'y prêter sans chercher à comprendre. Ce que je fais, ma foi, un peu pour lui faire plaisir et pour animer cette longue escapade, sous ce grand soleil ardent.

« Nous imaginons avoir un oursin sous le pied gauche et dans la main gauche un grand bâton en bois. Le bâton, nous mimons de le lancer loin devant, puis loin derrière.

En même temps, tu n'oublies pas cet oursin te blessant évidemment !

Du coup, lorsque tu avances, tu relèves rapidement ton pied du sol à cause de la douleur. »

Oulla ! me suis-je dit. Il fait trop chaud, des courants d'air dans la boîte à réflexion semblent nécessaires ! Ou alors, hier soir, ils ont trop abusé de pastis et n'y ont pas mis assez de glaçons !

« Je t'accompagne et pour rythmer, tu m'écoutes :

Lancer bâton... Aïe ! Oursin... ! »

Là, je l'observe fixement ! De toute façon, je ne trouverai pas de service d'urgence psychiatrique au milieu de notre parcours pédestre. Il insiste lourdement, mon mari appuie lui aussi. Nous voilà, en pleine garrigue Corse : « lancer de bâton loin, aïe oursin ! ... »

Toute bonne plaisanterie ayant une fin, agacée je leur lance : « même les cigales doivent rire en nous observant ! Mais enfin, cela rime à quoi ? »

Et là, tout naturellement, j'entends :

« C'est simple, lorsque nous t'observons marcher, tu nous rappelle Gilbert, le père d'Isabelle. »

Je ne savais plus lequel des deux, je devais prendre pour un grand fou ? Je ne sentais absolument aucune gêne.

La seule chose, il est vrai, mon bras gauche était moins actif. Mon mari et Jacques sont formés, de par leur profession, à l'observation de l'anatomie et des mouvements. En fait, ce n'était pas un jeu et il n'y avait rien de stupide !

Il s'agissait d'un test, pour observer ma capacité de rapidité et de réaction !

Puis, à partir de cette première excursion pédestre, premier signal pour leurs yeux, ils ont poursuivi leur enquête !

Dans les détails du « dossier vacances »

J'ai compris, par la suite seulement, qu'ils avaient analysé mon enveloppe corporelle de manière régulière ! Lorsque j'étais dans l'eau, autour du bateau, sans m'en apercevoir, je faisais l'objet d'études psychomotrices !

Pour être exacte, il y a deux choses dont je n'ai rien perçues :

— avoir été étudiée, telle une découverte scientifique, sous tous les angles.

— avoir innové malgré moi, et sans même le sentir, une nouvelle façon de nager !

Une toute nouvelle nage ne ressemblant ni au crawl, ni à la brasse, ni a aucune nage officiellement définie et répertoriée ! Mais ils m'ont préservée et n'ont pas été insistants.

Ils sont très observateurs... Pour la petite histoire, je suis entourée de sportifs de haut niveau, tous, sauf moi ! Je suis la « carte joker » du lot.

Cet ami d'enfance, Jacques, pour ne pas le nommer, comme Isabelle a beaucoup d'importance dans ma vie ! En ce qui concerne Jacques, ici, je n'en retiendrai essentiellement qu'une. À l'époque où je passais le Concours d'Instituteurs, il y avait une épreuve sportive composée de deux modules différents.

L'un était au choix, à l'origine j'avais choisi la course d'endurance. Mon futur mari, avec lequel je vivais déjà, était alors mon « coach », du moins il s'évertuait, chrono en main, à ce que se produise une once de miracle ! Juste tenir la distance. Se battre contre le temps, oser défier les minutes étant, pour moi le petit Joker, improbable !

La seconde épreuve était, quant à elle, obligatoire. Celle-ci se déroulait en piscine ! Jacques avec pédagogie et grande patience m'a préparée à cette partie du Concours.

Elle n'existe plus aujourd'hui. Il fallait plonger, puis faire un piqué canard et récupérer un mannequin bien logé au plus profond de la piscine ! Une fois remonté à la surface, le ramener au bord, en suivant les techniques de sauvetage façon secouriste !

Figurez-vous qu'avec son acharnement, et ma volonté, à nous deux, nous y sommes arrivés, enfin presque ! Car j'ai toujours plongé comme une pierre pour ne pas dire un rocher !

Le jour de l'examen, ce n'est pas là-dessus que j'ai gagné des points ! Cela est certain ! Par contre, grâce à lui, j'ai pu remonter tous les mannequins lestés, même les plus lourds, à la surface de l'eau et les sauver à la manière des maîtres-nageurs des grandes côtes californiennes.

Donc mon piqué de canard, il me le connaissait par cœur puisqu'il avait mis, tout un été, à me l'apprendre ! Il était fier de cette réussite car nous étions partis de bien loin… Au début, je ne mettais même pas la tête sous l'eau ! Évidemment, mon fameux piqué de canard a, lui aussi, fait l'objet d'une analyse visuelle et psychomotrice des plus profondes.

Donc, j'ai pu entendre, mais sans insistance, des remarques du style :

« Mais ? … Enfin ? Catalina, qu'est-ce que tu viens de faire là ? Tu peux recommencer, s'il te plaît. Cela fait des années que tu maîtrises ! »

J'étais devenue un tout nouveau, un tout autre canard !

Ou du style : « Hé ! Catalina, tu as deux jambes pour nager, tu t'en souviens ? »

Ce à quoi je répondais, en pleine mer Méditerranée, avec le masque me bouchant le nez :

« Évidemment ! Oh là ! Pénibles les garçons, je regarde les poissons ! »

Je ne m'apercevais absolument pas que, par moment, ma jambe ne bougeait presque pas… Heureusement ! Ils ont eu l'amabilité, la courtoisie, de me laisser passer de bonnes vacances et de ne point m'en dire plus, alors que nous étions, avec plaisir, sur le bateau.

Par contre, à notre retour, j'ai eu droit à une énumération diagnostique.
— Piqué de canard façon « jamais vue » ;
— Natation, la plupart du temps, en mode « unijambiste » ;
— Marche à la manière « Gilbert ».

La conclusion du bilan de ces messieurs retentit alors !

« Tu as tout intérêt à prendre rendez-vous chez un neurologue le plus vite possible ! »

Je ne voulais rien admettre et surtout ne pas consulter ce spécialiste !

Il aura suffi d'une simple balade dans la chaleur Corse ! Oui, une randonnée sous des regards avertis, très intimes me connaissant parfaitement, depuis plus de 30 ans. Ces yeux ont décelé ce qui paraissait, alors, invisible dans mes pas !

Pourquoi autant de « pourquoi » ?

Pourquoi vais-je changer d'école ? Pourquoi vais-je laisser derrière moi douze années de plaisir en maternelle avec la meilleure des ATSEM, Maryse, pour revenir à des élèves plus âgés et beaucoup plus autonomes ? Pourquoi recevrons-nous beaucoup moins ? Pourquoi vais-je avoir l'envie subite d'acheter des mocassins en daim rouge ?

Cette liste de pourquoi est loin d'être exhaustive, je vous laisse en découvrir bien d'autres dans les pages à venir !

Pourquoi sommes-nous trois ? Sans être trois ?

Pourtant, compter jusqu'à trois, ce n'est tout de même pas trop compliqué ! « Ne pensez-vous pas ? »

À tous ces « pourquoi », il y a forcément, au moins, une réponse ! Toutes ces interrogations induisent un changement de direction totale, un grand tournant !

Ce virage, je vais le prendre sur le chemin de l'existence juste après un immense carrefour de la vie ! Je mettrai le GPS en fonction. Ainsi, à cause de cette fameuse chose m'habitant, je trouverai un tout nouvel itinéraire !

Comme vous pouvez le lire, je réagirai de manière active ! Car rappelez-vous, j'ai promis à Socrate de ne jamais rester là où je suis tombée, de toujours, aussitôt, me relever !

Nous sommes, en partie, maîtres de notre destin !

Cependant, pour cela, à moment donné il faut savoir faire preuve d'audace et, quelques fois, tout bousculer !

Il y a aussi les cartes du destin ! Nous ferons, mon mari et moi, au final, une bonne pioche et mènerons bien cette nouvelle partie ! Nous la gagnerons, parce que nous saurons jouer, à deux, avec réflexion et stratégie !

Investigations, recherches, une véritable enquête !

Souvent lasse, fatiguée avec peu d'entrain... En un mot tout le contraire de moi qui faisais plutôt partie de la famille des Marsupilamis. Une petite bête branchée sur des piles Alcalines et gavée d'un savant mélange de vitamines.

Élixir dont les ingrédients secrets font encore pâlir Panoramix, le druide initiateur du fabuleux breuvage fort connu pour ses incroyables vertus !

Sa potion était bien insipide, au final, en comparaison de ma secrète formule personnalisée ! Jusqu'au jour où ma solution buvable et son procédé de fabrication disparurent et que j'en sois, définitivement, privée !

Pourquoi le Marsupilami était-il devenu un petit tapis servant de descente de lit ?

Bref, le temps a passé, mon côté gauche devenait bizarre. Mes amis ont tous insisté pour que j'aille voir un neurologue. Pour moi, il n'en était pas question, j'avais tout simplement peur ! « Je ressemblais à Gilbert », m'avaient-ils dit. Gilbert est atteint d'une sclérose !

Un jour où je rangeais le lave-vaisselle en me servant uniquement de ma main droite, j'ai analysé ma posture pendant un moment. Oui, je me suis comme mise sur la fonction

« pause » et je me suis étudiée. J'ai interpellé mon mari assis sur le canapé, en attirant son attention sur l'emplacement de ma main gauche positionnée, malgré moi, recroquevillée au-dessus de mon plexus !

Il a réussi à me persuader de nous rendre chez notre généraliste. Le médecin m'observant pénétrer dans son cabinet, m'a lâché d'un ton agacé :

« Eh bien madame Rancurel ! Vous avez pris votre temps, on ne peut pas dire que vous avez couru pour venir me voir ! »

Les quelques semaines qui ont suivi notre retour de vacances m'ont transformée, davantage encore, incroyablement vite !

Le stress, l'angoisse croissante, les insomnies ont été à la source de ces changements, plus marqués de jour en jour.

J'étais dans un état inquiétant, tout s'était amplifié de manière stupéfiante ! Il est vrai que je semblais avoir été victime d'un AVC. Mon bras ne se balançait plus du tout, je traînais la jambe gauche. Je ne pensais pas à utiliser ma main et le bras naturellement, ce côté supérieur ne me servait plus dans les gestes du quotidien. Les orteils de mon pied gauche ne bougeaient absolument pas. J'avais beau faire en sorte que mon cerveau leur envoie la commande, ils avaient comme décidé de ne plus obéir. Lorsqu'un médecin passait son instrument métallique le long de ma voûte plantaire pour créer un réflexe tout était comme paralysé ! Curieusement, même la manière habituelle et naturelle de marcher avec la coordination des bras et des jambes s'était évaporée de mon esprit…

La situation me paraissait tellement surprenante et invraisemblable qu'elle a fini, au fil des jours, par m'entraîner dans le plus sombre des couloirs nommé « angoisses majeures ».

À force de traîner de médecins en spécialistes, d'hôpitaux en radiologies, de scanner en I.R.M, j'ai gravi la montagne de la peur.

Ainsi, j'ai fait l'objet de plusieurs et probables diagnostics qu'il a fallu vérifier. Soyons francs et sincères, il faut avouer que j'ai été particulièrement gâtée ! Comme vous allez le découvrir, j'ai entendu, finalement, bien des mots à mettre sur mes maux !

En fait, en fonction du nombre de lettres, tout un lexique médical pour faire une bonne partie de scrabble !

— Dépressive, ce à quoi, j'ai répondu : « Mais la dépression cela ne ressemble pas à ça ? »

— Risque de tumeur au cerveau !

— Certitude d'avoir fait un mini AVC, probablement, m'a-t-on dit une nuit sans m'en apercevoir !

— Après avoir eu aussi, tant qu'à faire, une sclérose en plaques... Assez vite écartée, donc je ne ressemblais, finalement, pas à Gilbert, le père de mon amie.

Pendant les semaines au cours desquelles ont eu lieu, ces investigations, les insomnies se sont multipliées, le stress a atteint son summum et mon état de fatigue était inqualifiable. Les trois mots suivants sont essentiels : angoisses, fatigabilité, insomnies. Oui, des termes pouvant définir un énorme bâton de dynamite ! Sans le savoir, je détenais la recette parfaite du plus excellent des cocktails explosifs. Je l'ai compris bien après, vous allez le découvrir.

Bref, pour l'heure, l'enquête n'avançait pas. Nous n'arrivions pas à mettre un mot sur mes maux !

Après avoir fini de déambuler dans les laboratoires, les hôpitaux, l'on m'a certifié :

« Madame Rancurel, vous n'êtes nullement l'heureuse gagnante de l'un de ces lots ! ».

Avec l'envoi de tous ces signaux intérieurs à mon corps, j'ai fini par admettre qu'il fallait ôter les œillères, mon mari avait raison ! À ma panoplie, il ne manquait qu'un seul être, celui qui s'occupe du contenu de nos têtes !

Nous avons donc pris rendez-vous chez ce fameux praticien dont le seul nom m'affolait tant, un neurologue.

Ayant perdu toutes mes couleurs, le visage recouvert d'un teint similaire au liquide, breuvage des petits veaux, nous voici partis chez cette spécialiste ! Sans le savoir, j'allais me fondre, tel un caméléon, dans le décor fade de son cabinet avec lequel ma pâleur extrême était parfaitement assortie !

Il m'en a fallu du courage, heureusement que j'avais mon mari, pour me rendre chez cette femme, au demeurant à l'air sympathique, dans son bureau immaculé de blanc ! Des murs blancs, au sol blanc, un bureau blanc, des chaises blanches et en face de moi : ELLE, dans sa blouse blanche !

Cette blancheur éclatante, partout étalée, aurait pu servir de décor pour le tournage d'une publicité vantant les miracles d'un tout nouveau dentifrice enrichi en dopamine, découverte majeure dans la recherche ! Voire, d'une lessive très efficace, imbibant à chaque lavage vos vêtements de particules d'Azilect, autre avancée miraculeuse !

Ou plutôt, revenons à l'état actuel dans le milieu de la recherche. « Elle cherche, elle cherche » !

Il est, au final, beaucoup plus probable que cette spécialiste du cerveau soit simplement tombée sur une superbe promotion : « le blanc à prix coûtant ! »

Pendant un instant, moi blanchâtre comme du lait, au milieu de cette cellule toute en pâleur, j'ai cru que ma vie était finie ! Sans que je ne m'en aperçoive, sans mise en garde, ni aucune forme d'avertissement, à mon insu, contre mon gré, sans rien avoir signé, mon séjour sur la Terre colorée s'était achevé !
Je pense que ce blanc, aussi présent, n'était pas innocent ! Il dégageait, j'en suis intimement persuadée, des composants hypnotisants et anesthésiants !

Ainsi, sous l'emprise de vapeurs chimiques, j'ai été propulsée, de manière instantanée grâce à un appareil hypersonique, au milieu de la blancheur du paradis ?

Concernant mon retour, le tour-opérateur avait omis de réserver le mode de transport ! C'est ainsi, à cause de ce voyagiste et de son manque de professionnalisme, qu'après l'examen médical et l'annonce du diagnostic, j'ai été éjectée des cieux par Dieu, telle une météorite laissant à jamais un cratère au sol ! Heureusement, à l'époque, j'étais moins enveloppée donc l'impact a laissé une trace ressemblante à une simple curiosité spéléologique.
Si le même phénomène devait se produire aujourd'hui, ma chute sur la planète Terre créerait une nouvelle mer !

Cependant, je ne vais tout de même pas exagérer, car entre-temps, il s'est passé bien des années et j'ai retrouvé ma silhouette d'antan !

Ainsi, avec son accent du Midi, à couper au couteau, j'entends la tirade suivante.

« Bon ! Hein... Madame Rancurel... Hein... On ne va pas passer par quatre chemins ! Bon ! Hein ! Madame Rancurel, vous avez Parkinson » En ajoutant, toujours avec la même intonation du sud, « Hé ! Oui ! »

Ce à quoi j'ai répondu : « Mais je ne suis pas vieille ! »

« Madame, il n'y a plus besoin d'être vieux pour avoir Parkinson ! Hein ! »

Bien sûr, évidemment, il m'a fallu des jours, des semaines, des mois, pour revenir aux réalités terrestres. Oui, la violence de l'impact avait coupé tout contact avec le reste de l'humanité !

J'aurais préféré redescendre du Paradis avec le même engin qui, à mon insu, m'y avait conduite. Parce que, entre-temps, figurez-vous que l'on m'avait privée de ce fameux appareil. Celui-là même qui m'aurait été d'une grande aide, pour reposer mes pieds sur le sol et ses réalités avec plus de délicatesse et de souplesse !

D'où cette éjection, en mode propulsion, sans aucune préoccupation des répercussions, accompagnées de convulsions et de multiples contusions !

Parkinson :

W, X, Y, Z ont tous une valeur de 10 points ! « Oh ! Flûte ! Syndrome extrapyramidal ». S'ils avaient trouvé plus vite, j'aurais pu gagner la partie de scrabble, avec déjà 50 points minimum !

Après réflexion, les signes avant-coureurs étaient déjà là. Mais lorsque l'on a à peine quarante ans, si l'on commence à perdre l'odorat, le généraliste soupçonnera des polypes ou encore une irritation des muqueuses nasales due à de nombreuses allergies ?

Vous croyez ce que vous dit votre médecin, vous lui faites confiance. D'ailleurs, il n'y est pour rien.

Ma grande marche dans ce couloir sombre et sans fin, « angoisses majeures » me conduira, rapidement, après le diagnostic électrique, à trois mois dans un centre de rééducation neurologique.

Entre-temps, afin de confirmer son annonce, elle m'avait prescrit un examen d'imagerie en médecine nucléaire. Alors que nous attendions dans la salle d'attente, un jeune homme est venu nous remettre les clichés et le compte-rendu. Soucieuse, j'ai été très insistante pour en savoir davantage. Il m'a finalement révélé qu'il s'agissait, apparemment, bien de cela… Cependant, c'était à mon médecin de me le confirmer. Je n'ai pu m'empêcher de laisser échapper, « mais je n'ai que quarante-six ans ! ». Comme réponse à l'écho de mes mots, j'ai obtenu des informations pour le moins surprenantes, pour ne pas dire foudroyantes. Mon interlocuteur m'a expliqué : « Madame, ce matin, un patient a passé le même examen. À la lecture des images, j'ai bien vu qu'il s'agissait d'une pathologie identique à la vôtre. » Puis il poursuivit en m'interrogeant : « Avez-vous une idée de l'âge qu'il avait ? Il était âgé de vingt-deux ans ! »

C'est tout de même des plus surprenant ! Je qualifierai cela de particulièrement inquiétant !

Parallèlement, l'existence poursuivait son chemin

Vous commencez à comprendre que… trois, n'est pas vraiment et forcément égal à « 2 + 1 ? »

À côté de tout cet épisode de recherches médicales, la vie continuait son cheminement.

Souvenez-vous, je vous décrivais cette villa et je vous expliquais que mon mari et moi, persuadés de tout savoir, disions alors…

« Dans ce lieu près du lac, nous vieillirons ! »

Nous avions déniché l'écrin dans lequel notre famille s'agrandirait enfin ! Sept longues années de procédures médicales et de déceptions ! « Acharnement thérapeutique », avait-il prononcé, en faisant basculer son grand siège noir, de gauche à droite !

Depuis des années, nous étions dans les dossiers et nagions dans bien des péripéties ! Deux ans auparavant, nous venions d'avaler notre dernier échec, avec la Russie. Pendant des mois et des mois, dépassant allègrement le cycle des quatre saisons, à en faire pâlir Vivaldi, nous sommes restés sur le qui-vive ! Ainsi nous étions prêts à bondir dans le premier avion pour aller chercher un petit garçon !

De certitudes en rebondissements, le tout saupoudré d'une grosse pincée de chèques évaporés dans l'atmosphère nébuleuse au-dessus de Moscou ! Nous avions abandonné, une fois de plus, ce qui ressemblait bien évidemment à une arnaque.

L'année suivante, nous touchions du doigt un rêve de plus de dix ans. Je me souviens, comme si c'était hier.

Il s'agissait d'une petite Chinoise, de quelques mois. Nous devions la rencontrer en août. Il en était fortement question !

Quoi qu'il en soit, nous attendions encore plus de certitudes pour en parler à nos parents !

Un jeudi, à l'école, coup de fil... Mes collègues gardent ma classe. Heureuse, je file au dortoir des petits pour avoir une conversation au calme ! Une nouvelle fois, le monde s'est écroulé ! J'ai mis des heures à sortir d'au milieu de ces mini-couchettes qui semblaient s'être unies entre elles, comme pour me tenir prisonnière de cette pièce sans lumière.

Ce jour-là, je n'ai jamais repris ma classe. La directrice et les collègues se sont réparties mes élèves.

Moi, j'ai cherché, au travers de mes larmes, ma voiture qui avait disparu du parking tout comme mon projet !

« Madame, votre dossier est définitivement rejeté. Ce sont les mots qui sortaient de la boîte et qui résonnent toujours ! Nous n'avons jamais eu connaissance des raisons de ce revirement de situation brutal !

Ainsi, dans un premier temps, nous avons changé la tournure de la phrase qui se transforma pour devenir :

« Il est évident que dans ces lieux nous vieillirions ! Mais, notre famille ne s'y agrandira pas ! »

Devant toutes ces batailles, au bout de plus de dix années de rebondissements, accompagnées de quelques petites lueurs d'espérance et d'un wagon de déceptions, nous avions décidé de battre en retraite ! Avant que nos troupes ne soient, entièrement, décimées ! Aujourd'hui, très sincèrement, avec l'évolution du monde, nous en parlons et nos discussions aboutissent à la même et très sincère conclusion : « ce n'est pas plus mal ainsi ! »

Cependant, la vie réserve bien des surprises. Pas seulement un wagon, mais des trains entiers. Comme d'autres sur cette Terre, nous avons eu le droit, je crois, à tout le contingent de la SNCF. Du premier train à vapeur, jusqu'au TGV dernière génération !

Si l'on observe mon tableau, le peintre a fait figurer cet épisode dans un lieu bien escarpé et difficile d'accès ! Sur sa palette, c'est avec des nuances sombres, faisant apparaître une zone d'ombre, qu'il a manié son pinceau et déposé son choix de couleurs. Nous n'avions pas notre mot à dire… aucune autre possibilité sur cette période de vie !

L'armistice signé avec les Chinois et les Russes, une autre bataille, venait à peine de se déclarer ! Mon nouvel ennemi !

Dans votre vie, vous rencontrerez inévitablement des difficultés. Mais si vous apprenez d'elles, elles vous rendront plus solides. La manière de gérer l'adversité est unique et propre à chacun. L'essentiel est de puiser dans toutes vos ressources afin de ne jamais baisser les bras !

Après de très longues discussions, d'interminables concertations, reprises à maintes et maintes occasions ! Dialogues infinissants et longs échanges, toujours dans une grande maîtrise de réflexion, après des semaines de débats... Nous nous sommes, enfin, décidés à prendre une résolution !

Pas la plus heureuse, loin de là, surtout pour mon mari qui adorait, passionnément, cet endroit. Décision, cependant, la plus évidente et la plus sage aux vues des circonstances.

Nous avons décidé, à contre cœur, de mettre la maison en vente ! Nous étions persuadés savoir et en fait je commence à me dire que : « plus tu crois savoir et au final, moins tu sais... »

Ainsi, la première formulation, claire et distincte de nos souhaits de vie dans cette maison, changea inéluctablement au fil du temps. Pour faire court, nous étions passés d'une forme grammaticale affirmative à une toute nouvelle succession de mêmes phrases mais construites avec une série de négations !

« La maison du lac ne nous verra pas vieillir ! »

Et oui, ainsi va l'existence ! Dans mon tableau ce passage de mon histoire se trouve dans un petit coin, tout sombre, où l'artiste a insisté sur la froideur des couleurs et a fait en sorte qu'il y ait le moins de détails possible. Chose faite exprès, de manière à ce que notre regard ne reste point attiré sur cet espace de la toile.

Mon lieu de travail m'obligeait à prendre l'autoroute et il me fallait trouver une solution plus confortable. Plus confortable, et moins fatigante, en tous points de vue, y compris celui de porter mon cartable sur une distance plus supportable ! Vous avez compris qui est le sournois coupable ?

Celui qui avait transformé le Marsupilami en petite descente de lit !

Nous voilà à la recherche d'un appartement, nouveau choix de vie, ou plutôt, devrais-je dire choix « imposé » par la vie !

Nous repartions dans cette ville de bord de mer. Celle-là même dont nous étions partis quelques années auparavant.

Retour « à la case » ville balnéaire...

Nous avons trouvé un appartement, ce fut le véritable coup de cœur dès la première visite ! Idéalement situé, notre nouveau nid se trouve dans un bel endroit, tout à côté de la mer et à proximité de nos lieux respectifs de travail, donc de ma nouvelle école.

J'ai déjà quelques kilomètres affichés sur mon compteur professionnel. Des écoles, des équipes, des collègues... j'en ai côtoyés en ribambelles. Jamais je n'aurais pensé faire partie de la plus jolie des rondes, ma future équipe incroyablement sereine, et solidaire !

La sympathie et la bienveillance, tel un phénomène paranormal, semblent envelopper l'école tout entière ! Une formidable équipe composée de Monsieur Danube, dont je vous ai déjà parlé, le directeur.

Jessie, la plus jeune, dynamique toujours gaie et lumineuse. Elle a complété mon temps de travail lorsque j'étais à soixante-quinze pour cent. Nous nous sommes fort bien entendues et avons travaillé ensemble de façon tellement agréable et des plus amicales ! Une année de bonheur ! De par son sourire, sa gentillesse, Jessie aura toujours une place de choix dans mon esprit.

Un jour, sur mon bureau, tout à la fin de l'année, j'ai trouvé un joli flacon, à côté duquel se dressait un beau rosier. Flacon délicat, rosier parfumé et surtout un courrier, sur un beau papier, une lettre qui m'a beaucoup touchée… et à la fois étonnée ! Oui, j'ai encore trouvé le moyen d'être surprise !

Lisez ce petit texte ! En ce qui me concerne, les mots qui ont défilé sous mes yeux m'ont fait dire : « Oh ! Ce n'est pas possible, la bête est ressortie de sa cage ! » Ma collègue me voit, tout d'abord, comme une personne que l'on craint… À mon grand désespoir, on me l'a tellement répété ! Oh ! à mon immense désarroi, cette première impression ressentie, par les gens dans mon milieu professionnel, m'a toujours poursuivie telle une ombre ! Que voulez-vous ? Je n'ai jamais rien pu y faire ! C'est quand même fou !

Ma foi, je suis moi… J'ai mon caractère et mon franc-parler, certes ! Tel un vieux sage, on me demande conseil, l'on pense que je détiens tout savoir-faire d'après mon savoir-être ! À en rire, j'aurais préféré qu'on me regarde comme un vieux singe ! « Vieux sage », quel drôle de message, quelquefois, fait passer votre visage !

Heureusement, très vite, collègues et parents découvrent, en fait, quelqu'un qui, tout simplement, mène droit son affaire !

Puis, je retrouve toujours les termes de souriante, bienveillante, ce qui me rassure ! Cela transpire de mon être, en second lieu, après avoir été, dans un premier temps, le « vieux singe sage ! » Même, si certains jours, la fatigue me gagne, je fais l'effort constant de veiller à laisser paraître mon sourire intérieur !

Il y a 10 mois je ne savais pas comment serait la personne avec qui je partagerai la classe, c'était l'inconnu et un peu le stress il faut l'avouer ! 10 mois après je rentre sereine dans la classe et je suis enchantée de la personne que j'ai rencontrée. Tu es une personne exceptionnelle, toujours souriante et bienveillante. Tu aimes ton métier et c'est par cela que c'est un plaisir de partager ta classe. J'ai appris beaucoup de choses au sein de ta *classe qui m'aideront dans ma carrière et par tout cela je te remercie. Je n'aurai plus le plaisir de partager ta classe mais j'espère rester dans cette école pour continuer à partager de bons moments avec toi ! Encore merci pour cette année et garde ce sourire et cette force qui te caractérisent, tu es une personne qu'on n'oublie pas une fois qu'on t'a*

À propos de ce courrier, j'ai écrit plus haut, sur l'altruisme, les simples sourires qui ne coûtent rien mais qui apportent tellement.

Voilà, ce premier exemple réel et concret atteste comment en retour, l'on reçoit des marques de gratitude qui vous rendent si heureux ! N'est-ce pas un bel instant de bonheur ? Merci Jessie pour ton courrier, tout comme ce si beau flacon. Ils seront conservés tels des petits trésors !

Cet épisode connaîtra un moment bien similaire. Tout comme « le temps des cerises » à des années d'intervalle et dans des endroits différents. Vous verrez, c'est tout de même incroyablement surprenant !

Je vous assure que mes propos ne contiennent pas l'ombre d'une exagération ! Ici, aucune place n'est laissée à la fiction. Je ne relate que pure, incroyable et réelle description ! Une bonne pioche dans mon jeu ! Une partie bien jouée avec *les cartes du destin !*

Dans ces murs, vous trouverez même une perle rare. Oui, c'est possible. Une personne extraordinaire, mélange d'un ange avec un être de valeur unique. Je parle là, de Roxanne, l'AVS de notre si jolie école !

Roxanne a travaillé pendant deux années à mes côtés dans ma classe. Vingt-quatre mois pendant lesquels, nos regards se sont souvent croisés. Sans parler, nous nous comprenions, car un lien invisible nous a rapprochées. En sortie scolaire, alors que j'étais bien fatiguée, il fallait une personne pour encadrer les élèves et une autre pour surveiller les enfants et Madame Rancurel ! J'avais donc ma fée pour veiller sur nous tous ! Cette fameuse année d'ailleurs, elle m'a été d'un grand secours. Nous étions dans un parc immense par forte chaleur, en fin de journée, me voilà assaillie par un de ces énormes coups de fatigue spécifique à la chose qui m'habite. Discrètement, me sentant vaciller, je me suis assise sur un banc, à l'ombre, afin de tenter de me ressaisir. Rien, ou presque, n'y fit. Souriante, malgré mon malaise, j'ai demandé à un élève de l'interpeller. Je lui ai chuchoté à l'oreille « Il faut que tu nous sortes du parc, je suis perdue dans mes repères… » Heureusement qu'elle était là pour mener, d'une main de maître, la chose, sans ne rien laisser paraître !

Pour compléter notre petite équipe, ma collègue, voisine de classe, Christiane L'As en informatique, elle m'a énormément aidée, ce à de multiples reprises. Toute la journée, Christiane marche à grandes et élégantes enjambées. Elle est toujours dans l'action !

D'ailleurs en ce début d'année, dès la rentrée de novembre, elle a connu une forte mésaventure. De tout son long, elle s'est étalée dans la cour. Multiples fractures à l'épaule, le soir elle a dû être opérée !

Le matin même, à notre retour des vacances de la Toussaint, elle avait juste eu le temps de m'offrir un petit cadeau… de jolis cristaux de sucres roux entourant des bâtonnets, faisant le meilleur effet auprès de vos amis, au moment du café.

En fait, il faut se rendre à l'évidence ! Tous les êtres humains qui font vivre ces lieux sont immanquablement tombés dans le chaudron ! Ce chaudron mystérieux, caché quelque part en ces murs… Cette grosse marmite qui contient le secret d'une potion miraculeuse de la gentillesse, de la bienveillance, du bonheur et de la joie ! Composition, ingrédients et grammages dont seul M. Danube détient la vérité ! Je l'appelle l'école du bonheur !

Ses murs sont de couleurs pour le moins surprenantes et particulièrement vives : violet, rose, fuchsia, vert… Souvent, je me laisse à penser que la personne qui en a fait les choix, sur le nuancier, devait être fortement déprimée ou quelque peu daltonienne ! Peut-être, avait-elle voulu y symboliser la voûte d'un bel arc-en-ciel ?

L'on y sonne encore la cloche de bronze, pour signaler la fin des récréations. Une école d'une autre époque, où j'ai eu la chance d'avoir ma dernière nomination.

Par le passé, j'avais déjà travaillé dans des lieux très agréables. À chaque fois qu'il m'a fallu quitter chacun d'eux, cela m'a été très difficile.

Dans cet endroit, j'ai très vite décidé et dit à qui voulait l'entendre : « c'est ici que j'achèverai mon métier ! »

On y pratique des activités très variées comme : la voile, le canoé ou le kayak. Cet apprentissage est fort riche, en lui-même, puisqu'il permet aux élèves de pratiquer un exercice physique spécifique avec des mouvements adéquats et un vocabulaire adapté.

Nous en profitions pour travailler sur le lexique et la signification des termes géographiques propres au littoral. Nous étudions la richesse, diversité de la faune et la flore du milieu marin.

Il y avait aussi un endroit particulier qui, chaque année, nous amenait vers les découvertes biographiques, littéraires, et historiques de Saint-Exupéry. En effet, dans cette baie, au bord de la mer se trouve la maison familiale du fameux aviateur de l'Aéropostale. Mes élèves aimaient écouter la légende qui rapporte que le jour où son avion disparut, le facteur du ciel, celui qui faisait voler les cartes postales parmi la Lune et les étoiles, fit un dernier tour au-dessus de sa maison pour saluer sa femme… Sans savoir, bien évidemment, qu'il entamait sa dernière tournée, qu'il ne reviendrait jamais chez lui, dans la baie !

Oh ! Ils ne sont pas particulièrement malheureux les écoliers au pays des Cigales. J'espère qu'ils se rendent compte de la chance qui les enveloppe ! Puis, le temps passant, les choses vont s'avérer un peu plus compliquées. Oui, cette activité si plaisante deviendra un peu stressante. Quelque chose changera…

Cependant, pour l'heure, nous n'en sommes pas encore arrivés là. Alors, profitons à pleines dents du moment présent ! Et gardons à l'esprit tous ces merveilleux moments dont j'ai pu profiter grandement !

Voilà, j'ai décrit, dans ces quelques lignes, ma petite école juste en face à la Grande Bleue. Tous les matins, lorsque je sors de mon petit nid douillet, notre appartement, je longe les plages, je longe la mer et sans me lasser, j'admire ce magnifique paysage qui me mène jusqu'à mon espace de bonheur ! Et je chante, c'est un très bon exercice rempli de plaisir.

La mer… Qu'on voit danser
Le long des golfes clairs
À des reflets d'argent
La mer
Des reflets changeants…

Merci, à M. Charles Trenet

Vous l'avez remarqué probablement, il y a à travers toutes ces lignes quelque chose qui, j'espère, vous a résonné aux oreilles : l'optimisme !

Voyez toujours le verre à moitié rempli, ne le voyez jamais à moitié vide.

C'est un exercice quotidien ! Par exemple, plutôt que de se lamenter sur le départ forcé de notre agréable maison, ne pas manquer de bien observer tout ce qu'il y a de plein dans ce contenant transparent !

Une nouvelle adresse, dans un endroit agréable. Cet appartement, dans lequel je me suis plongée avec beaucoup d'affinité, et un nouveau lieu de travail tellement atypique ! Encore, ne pas oublier de penser à mettre au premier plan toute la gamme des notes positives de ces évènements. Celles qui, assemblées entre elles, jouent une sublime symphonie.

Positivez, car il y a toujours de bonnes choses à voir. Regardez bien, scrutez le long du chemin et vous trouverez tous ces trésors. Ensemble de richesses valant bien plus que de l'or !

Il y a des fleurs partout pour qui veut bien les voir.

Henri Matisse

Dans mon tableau, l'on peut observer cet épisode sous un gros faisceau de luminosité, dans un endroit fort agréable ! Si l'œil se rapproche de la toile, afin de mieux y découvrir les détails, voici ce qui va se réfléchir dans la pupille. Une petite plage de galets blancs, baignée de senteurs variées, par une multitude de fleurs colorées. Le tout dans une ambiance de fraîcheur. Car devant cet espace, recouvert de pierres blanches aux formes arrondies, coule lentement un petit ruisseau à l'eau limpide et cristalline.

Maintenant, à vous de jouer.
Soyez fier ! Même contre l'adversité !

Visite chez la neurologue, l'année suivante

Les fêtes de fin d'année approchent, les villes changent d'allure et je ne peux m'empêcher en ce jour d'avoir cette petite vision anecdotique par rapport à ce nouveau rendez-vous. Juste avant de m'y rendre, à un horaire un peu tardif, 18 h, j'avais eu le temps de passer en ville faire un petit tour et admirer les illuminations de cette année, puisque la municipalité fait un effort pour que celles-ci changent à chaque nouvelle fête de Noël. En me promenant dans la fraîcheur du bord de mer, en admirant toutes ces lumières, j'ai eu le temps de faire baisser la tension de mes artères avant de reprendre ma voiture et de parcourir environ trois kilomètres pour me rendre à ce fameux rendez-vous semestriel.

Ainsi, dans la salle d'attente, je me mets à penser que je vais pénétrer dans cette ambiance blanche et silencieuse. Alors qu'à l'extérieur tout est si différent !

Nous sommes, je m'en souviens parfaitement, le 12 décembre, période annuelle festive, sans aucun doute, et ce pour tous, aux allures à la fois visibles et audibles.

Audibles car en se promenant en ville les haut-parleurs de chaque mairie diffusent en boucle leur playlist de chants traditionnels reconnaissables par tous !

À force, ils sont... comment dirais-je... fossilisés dans nos esprits, de manière certaine, depuis notre plus tendre enfance. Leur version inchangeable, quelquefois, peut même arriver à en agacer les plus sages !

Visibles car les lumières entourent cet univers éphémère de l'hiver depuis l'âge de pierre. Il est vrai, un soupçon j'exagère, disons plutôt depuis des centenaires !

Chaque vitrine peaufine son décor et l'on voit les bambins de leurs yeux enfantins demeurer, un temps sans fin, devant chaque détail. Ce qui commercialement n'est évidemment pas anodin. Par le biais de l'enfant, il s'agit d'attirer les parents dans la boutique envahie de présents à acquérir moyennant, en contrepartie, une certaine somme d'argent.

Pendant très longtemps, ces décors qu'ils aillent de la petite échoppe jusqu'aux grandioses vitrines des galeries Lafayette faisaient inlassablement apparaître le fameux père Noël. Bedonnant personnage vêtu de rouge commençant par devenir lassant, même si juste au-dessus de sa tête, l'on ajoutait une chute de pluie de blanches paillettes.

Jusqu'au jour où un commerçant eut assez de voir ce vieillard à la grande barbe blanche et décida de bousculer la tendance... prendre de la distance et ainsi il se lança dans la réalisation pleine de vraisemblance d'une banquise luisante.

C'est depuis ce jour qu'apparurent de nouvelles devantures faisant découvrir de toutes autres aventures, tel un village d'Eskimos, sous une aurore boréale, éclairant, de façon peu banale, pour ne pas dire originale, les igloos de tout un village.

Certaines périodes de vie sont étroitement liées aux réalités de l'actualité de faits réguliers, se déroulant sur une année de manière inlassablement ritualisée.

Ce qui m'a inspirée et pour me remonter le moral, face à cette blancheur partout étalée, j'ai décidé de surnommer son cabinet, peut-être pour m'y rendre d'un pas plus léger, « l'igloo ». Ainsi, ce soir, j'allais à nouveau pénétrer dans cet « igloo gelé » par son absence totale de couleur.

À tous mes questionnements ma neuro tente de répondre. Puis, elle me propose : « Madame, le mieux, hein ! est de vous mettre en contact avec des personnes ayant la même pathologie. Ainsi, vous pourriez échanger ! Hein ! » Toujours ses « hein » du midi.

Ce à quoi je réponds sans détour, comme par réflexe : « Ah ! non, non, non ! »

Comme si, j'avais voulu me protéger… de quoi… Je ne sais pas ! Pourtant, on ne l'attrape pas deux fois ! On ne le transmet pas non plus !

En fait, je ne voulais pas rencontrer des gens plus atteints que moi et les transformer en miroir de mon avenir ! Chacun le sien, alors à moi de construire le mien ! À moi d'élaborer ma propre rencontre avec lui !

Elle tourne sa chaise blanche et se plonge dans son ordinateur blanc. Elle semblait y avoir perdu quelque chose ? Mais, introuvable « la chose » ?

J'attends… j'attends… patiemment !

J'en profite pour observer son cabinet, en détail cette fois. C'est la première occasion pour moi de faire l'analyse des lieux car ses yeux sont bien pris ailleurs.

Pas possible… Pas une once de couleur ! Je suis réellement dans un igloo !

Dans mon esprit, ne la revoyant plus faire cas de moi, je ne peux m'empêcher de penser :
« Imagine les caractères de l'écran sont blancs, sur un fond blanc ! Et bien ! Ce n'est pas gagné… je ne suis pas encore sortie de chez les Eskimos ! »

Elle a oublié que j'étais là ? Elle ne me voit plus ou quoi ? Je m'interroge.

Au même instant, je jette rapidement un œil sur ma robe. Ouf ! Ouf… Je suis toujours en couleurs ! Je suis toujours bien là ! Parce que les phénomènes paranormaux, cela vous marque !
Alors, éjectée des cieux par Dieu, une fois mais pas deux !

Puis, elle se retourne vers moi et me dit : « Ça tombe bien, hein ! Madame Rancurel, la prochaine fois que vous venez, dans six mois, juste après j'ai un rendez-vous avec une dame. J'aimerais que vous la rencontriez. Je vais quand même lui demander, mais je suis persuadée qu'elle acceptera. Hein ? »

Surprise, réticente, sur la réserve, j'acquiesce ! Sûrement dû encore aux particules chimiques anesthésiantes contenues dans tout ce blanc non innocent !

Cette femme avait été diagnostiquée, alors qu'elle avait mon âge. Elle était âgée de soixante-huit ans, en 2016.   Voilà, les seules informations que j'avais en ma possession !

Une belle rencontre !

Les six mois se sont écoulés. Me voilà repartie dans la laverie spécialisée en blancheur, surnommée par mes soins « l'igloo. » Nous faisons les tests, examens et le bilan. Elle l'estime plutôt positif. Quoiqu'elle puisse me raconter, me voilà soulagée, oui, parce que la consultation est terminée !

Puis, à l'issue de notre rendez-vous, elle me demande de patienter, en salle d'attente. Elle ajoute qu'après avoir vu cette fameuse femme en consultation, elle nous ouvrirait une petite salle, de manière à ce que nous puissions discuter tranquillement. Grand vide dans mon esprit par rapport à ce qui allait se passer.

Dans ce cabinet, il y a plusieurs praticiens qui ne sont pas tous neurologues, puisqu'il y a entre autres un psychiatre, par contre une seule salle d'attente. Tous les gens, une fois, qu'ils ont franchi l'étape du bureau de la secrétaire viennent s'installer sur les chaises bien alignées. On ne sait pas vers quelle porte ils vont s'orienter, tant que le médecin avec lequel ils ont rendez-vous, ne vient pas à leur rencontre.

Je m'assois donc dans cette fameuse salle dont un mur, lui, est bordeaux avec un tableau moderne et lumineux ! Un peu de couleur quand même et de lumière ! Je ne prends pas de magasine car j'observe et j'analyse.

Je vois plusieurs patients entrer, s'asseoir... et chaque individu passe sous ma loupe.

Cependant, je ne peux m'empêcher de songer que le temps risque de me paraître bien long ! Surtout que j'avais déjà chauffé le même siège, lorsque j'ai attendu tout à l'heure, pendant près de trois quarts d'heure, le moment de mon rendez-vous.

Arrive d'un pas pressé, à grandes enjambées, le premier patient, celui-ci choisit de s'asseoir sous cette espèce de décoration éclairée. Par la force des choses, ce brave homme est, d'un coup, passé d'un teint sans aucune particularité, à une espèce de couleur pseudo verdâtre, tout comme s'il avait pris trop de virages bien serrés sur une longue route de montagne !

Avant même de m'apercevoir de ce changement de teint de peau, inconsciemment, sans le vouloir, une partie de mon cerveau avait décidé de m'aider en m'occupant l'esprit. Hé oui, m'assister avec créativité afin que les aiguilles de l'horloge semblent tourner un peu plus vite !

C'est ainsi que lorsqu'il pénètre dans mon champ de vision, avec un léger sourire intérieur, je ne peux m'empêcher de me dire : « Ce monsieur descendrait-il de la dynastie des Carolingiens ? » Vraisemblablement, sa lignée directe aurait pu être celle de Pépin le Bref, lui-même. Surnommé ainsi, jadis, car il était de petite taille. D'où le bref, synonyme de petite hauteur, plus exactement à l'époque « court sur pattes. »

En un mot, ce sont quelques notions de mes études d'histoire qui ont éveillé mon esprit critique et analytique de manière à ce que le temps me paraisse moins soporifique. En ajoutant une pincée d'imagination, elle-même pourvue d'une once satirique.

Cette première énigme fut rapidement résolue. Quoi qu'il en soit, je suis censée attendre, de manière claire et évidente, une dame. Donc inutile de m'attarder davantage sur ce brave homme, entre temps, devenu semblable à un ange. La lueur froide, de cette drôle de composition futuriste, créa au-dessus de sa pseudo couverture capillaire, dépourvue de toute épaisseur, une espèce d'auréole. Décidément, dans ces lieux, il semblerait que nombreux soient ceux qui passent par les cieux ! Donc pour ce patient, l'affaire est bouclée, dossier à archiver.

À peine mes conclusions délivrées sur le premier suspect, un second pénètre à la hauteur du bureau de la secrétaire, de ce fait, je me lance dans une nouvelle affaire. Je l'observe, je l'analyse, je la décris, je la déchiffre, en un mot elle passe sous mon microscope, l'espèce de grosse loupe qui me permet d'attendre sans impatience.

Ha ! Là c'est une femme, cette dernière préfère s'asseoir dans l'angle de la pièce comme si elle voulait être à l'abri des regards. Ce qui suscite et éveille en moi un comportement quelque peu suspect. C'est peut-être elle ? Cette personne s'empresse de prendre un magazine et d'en tourner les pages avec vigueur et énergie laissant transpirer une attitude stressée, tout comme si on lui avait tatouée en plein milieu du front. Je profite d'un instant où son regard est attiré par une chose qui semble particulièrement l'intéresser dans la revue, pour lancer un œil en sa direction. Ainsi, je sens qu'autour d'elle le vide d'humain semble apparaître, ce qui l'apaise indiscutablement. Discrètement, je lève mes deux yeux sur elle. C'est alors que je m'interroge sur son âge ? Mais très rapidement, la conclusion devient évidente. Ses cheveux sont coiffés à la façon Clotilde, épouse du roi des Francs, sur toutes les représentations où celui-ci se fait baptiser par l'évêque de Reims. Bien qu'elle soit cachée sous une chevelure d'un autre temps, c'est évident, non, ce ne peut être elle ! Des traits de son visage s'échappe un air innocent. Elle n'a sûrement pas soixante-huit ans.

À cette allure, la salle allait bientôt ressembler à un nouveau musée Grévin. Un rassemblement de personnalités ayant des similitudes plus ou moins imaginaires avec une histoire de naguère.

Une autre personne, à l'allure élégante, se présente à l'accueil. Une femme plus âgée, certes, cependant elle est envahie par la grâce. Car d'une part, d'une taille relativement grande et plutôt fine, d'autre part, sa présence crée comme une aura provenant de son aisance dans cet espace qui était le mien depuis déjà bien longtemps. Cette dernière est vêtue d'un jean, ses cheveux blonds tirés vers l'arrière par un simple, ou du moins en apparence simple mais au final complexe, chignon. Cette coiffure finissait de lui donner la prestance d'une danseuse.

Mon esprit ne peut s'empêcher de penser à un tableau de Degas. Avec la même gestuelle nuageuse, vaporeuse, elle s'assoit. Puis, chausse une paire de lunettes afin de lire l'affichage que l'on pouvait voir partout disposé sur les murs. C'est alors que, tout comme les deux autres êtres humains qui m'avaient ici rejoint, j'attends le moment opportun pour mieux analyser son visage. Il est lumineux certes, mais il porte un certain âge. À cette affaire ma conclusion est des plus faciles à conduire. Il y a chez ce nouveau personnage deux indices, allant en ma faveur : d'une part, c'est une femme et d'autre part, elle a la soixantaine. Cependant, nouveau dossier classé. Non, ce n'est pas elle ! Même si sexe et âge correspondent aux éléments qui préfigurent dans mes données... quelque chose m'a comme sauté au nez : il est quasiment inévitable, lorsque l'on est accompagné de « l'autre », depuis tant d'années, que des signes plus ou moins visibles ne peuvent être dissimulés. Je me souviens que cette femme, attendue en cet après-midi, a tout de même soixante-huit ans et qu'elle est diagnostiquée depuis vingt-trois ans, ce n'est pas rien !

De plus, comment oublier cette information étant donné que c'est la seule que j'ai en ma possession ?

J'en profite pour aller aux toilettes. À mon retour, deux personnes sont arrivées. Encore deux enquêtes à mener !

Il me suffit d'avoir une attitude des plus normales pour les garder dans mon champ de vision, c'est-à-dire juste dans ma ligne d'horizon. Une première chose me frappe, non pas les traits sur son visage mais un objet.

Oui, une canne peu courante car se voulant éblouissante, tel un bijou dont on se pare avec élégance. Ce beau bâton avait une allure inédite, sa tige d'un noir brillant est recouverte de coccinelles rouges et dorées, le pommeau de la chose semble, lui-même, en or tel un objet de collection.

Voilà enfin cette fameuse personne tant attendue. La rencontre proposée par ma neurologue depuis six mois.

Impatiente, je découvre son visage. Ses cheveux sont d'un beau blanc bleuté, elle est délicatement maquillée. Une jolie femme d'un âge sachant prendre bien soin de son apparence.

D'un coup les battements de mon cœur se font plus forts et plus rapides. Un mélange de suspense et de délivrance m'envahit. Enfin, je pose un visage sur cette proposition de rendez-vous organisé !

Elle se met à discuter avec la jeune fille qui tout comme elle, venait d'entrer. Tiens ! Elles sont ensemble ? D'après toute vraisemblance, en plus, elles ont un air de ressemblance. Cela en est même étrange…

Si l'on prend un papier calque alors, par transparence, l'on obtiendrait un parfait alignement des deux portraits superposés. Ces personnes sont de la même famille. Vu la différence d'âge, j'opte alors pour la suggestion d'une petite-fille accompagnant sa grand-mère.

Je ne l'avais pas vu marcher puisque, j'étais momentanément absente au moment de leur arrivée. De toute évidence, la vieille dame avait probablement du mal à se déplacer. La jeune femme devait aussi avoir le rôle d'une épaule sur laquelle s'appuyer. Voilà pourquoi elle l'avait accompagnée. Grâce, douceur, chaleur et bienveillance illuminent son visage. Cependant, malgré la beauté de son âge, elle paraît avoir plus de soixante-huit ans. Je lui en donnerai presque quatre-vingts. La chose dont nous sommes toutes deux habitées fait manifestement vieillir plus vite que ne tournent les aiguilles d'une horloge !

Qu'est-ce que cette dame pouvait avoir à me révéler ? Je la vois coquette assurément, cependant bien marquée pour son âge et un peu bancale, malgré l'aide de sa colonie de magnifiques coccinelles sur ce bâton précieux.

Tiens ! Voilà elle se lève. Pauvrette, elle est toute courbée. Mais pourquoi ai-je accepté ce rendez-vous ? Je perds mon temps !

Lentement la porte du psychiatre s'entrouvre. Tout en actionnant, par le biais de la poignée, les gonds de celle-ci, il est en pleine conversation téléphonique.

Qui va-t-il inviter à pénétrer dans son cabinet et s'allonger sur son divan ? Qui est donc en pleine psychanalyse ?

Est-ce la jeune femme sous ses cheveux arrangés à la mode d'une autre époque ? Peut-être, la danseuse remplie de grâce ? Ou encore Shrek, tout vert, avec son auréole ?

Incroyable ! Oui tout juste improbable ! Décidément, il y a plus de rebondissements dans cette salle d'attente que dans le meilleur livre d'Agatha Christie !

Sous mes yeux ébahis, la dame avec laquelle je devais avoir rendez-vous et sa petite fille se dirigent vers le psychiatre. J'ai vu, dans les yeux de la femme aux cheveux blancs, une espèce de formule du style : « Allez courage, je suis là… allons-y ! » Tous trois s'engouffrent dans la salle d'où je percevais l'extrémité du canapé. Je pouvais m'attribuer un zéro pointé, c'est la personne âgée qui accompagnait la jeune fille et non l'inverse !

À n'y rien comprendre ! Je suis stupéfaite… face à cette situation complexe, par réflexe je pose mon doigt, plus exactement mon index, sur mon menton. Geste aidant à la réflexion. Comme pour activer ou réactiver mes pensées. Au bout de quelques instants, je ne peux qu'envisager l'évidence. Oui, tout simplement mon rendez-vous, de ce jour, n'est pas encore arrivé. Pour le moment, elle était aux abonnés absents. Peut-être dû à la circulation ou alors un souci de stationnement ?

Je poursuis mon attente patiemment avec, d'un coup, mon esprit envahi par l'air de la musique du film « la panthère rose » qui tourne en boucle tel un trente-trois tours.

La porte du cabinet de ma neurologue s'ouvre. Tiens ? Ça alors mais c'est tout juste incroyable ? Depuis plus d'une heure, je suis sur un trampoline me propulsant à chaque instant de plus en plus haut. Tout nouveau saut me surprenant davantage au fil du temps. Vous ne vous doutez certainement pas de l'identité de la personne se dirigeant, main tendue pour la saluer, en direction de ma neurologue ? Il s'agit de la femme pleine de prestance ! Cela doit être une patiente, entre deux rendez-vous, probablement venue pour récupérer un courrier ou le renouvellement d'une ordonnance !

Lorsque notre cerveau est persuadé d'une chose, tout prétexte semble bon à le satisfaire, il a une réponse à chacune de nos questions !

Au bout d'un moment, cette dame franchit, dans le sens de la sortie, le seuil de la salle de consultation.

La neuro ouvre une porte et l'invite à pénétrer dans une pièce dont j'ignorais l'existence... Je parle quasiment tout haut :

« Non ! Ce n'est pas possible ? Ce ne peut pas être elle ? Lorsque l'on a cette pathologie, on fait tout pour détourner les regards de nos déplacements ! »

Preuve évidente, elle porte des chaussures rouges ! Oui... de beaux mocassins en daim. C'est définitivement certain, ce ne peut pas être elle, impossible, ce n'est sûrement pas avec des souliers rouges que l'on peut souligner une tentative de discrétion au niveau de notre démarche !

Je m'obstine à penser, c'est une pure évidence, la personne en question n'est pas encore arrivée...

Là, à cet instant précis, les bras vont m'en tomber ! Le médecin attire mon attention en sa direction. Étonnée, je vais avoir un temps de réflexion… ou plutôt dépourvu de réaction.

J'observe autour de moi. Ce signe de main ne m'est pas destiné ? Puis, je pointe mon index en ma direction signifiant : « C'est à moi que vous vous adressez ? » La neurologue cligne des yeux pour m'envoyer un message à distance pouvant se traduire de la manière suivante : « Oui, Madame Rancurel, vous avez une rencontre programmée ce jour ! »

Stupéfaite, un peu abasourdie, je me lève afin de la rejoindre. Elle m'attendait patiemment, j'entre dans cette pièce, elle referme aussitôt la porte derrière moi. Car bien évidemment dans la salle de consultation, d'autres patients attendaient impatiemment leur tour.

Me voici donc dans cet endroit franchement exigu, sans fenêtre. La fameuse femme élégante était bien présente. Elle me salue et elle s'assoit allègrement sur une table d'auscultation un peu haute. Il n'y a pas de chaise dans cette petite pièce. De sa main, la dame me propose de prendre place à ses côtés. Je préfère rester debout en face d'elle et repose le bas du dos sur une table.

Elle me raconte donc qu'elle a été diagnostiquée par la neurologue qui nous suit toutes les deux.

Elle avait été foudroyée par l'annonce ! À cette époque, cela était bien plus réservé aux personnes d'un certain âge.

Elle poursuit en m'expliquant être convaincue de la survenue de la pathologie suite à un grand choc psychologique. Chose effectivement possible, je l'avais déjà entendu dire par des médecins m'ayant posé ce genre de questionnement.

Elle insiste à mes oreilles sur ces mots :
« Toujours écouter son corps ! C'est essentiel ! »

La deuxième chose sur laquelle elle s'attardera est la prise médicamenteuse. Elle connaît des personnes qui ont arrêté par rapport à certains effets secondaires et finalement ont vu « l'autre » prendre plus de place et c'était trop tard ! Irréversible !

Puis, après m'avoir fait ces deux recommandations, elle insiste sur le fait de :
« Penser à soi et s'occuper de soi ! »

Elle m'explique qu'elle fait régulièrement de la marche, des étirements, du yoga, des exercices de rééducation proposés par son kiné et un peu de musculation.

« De bonnes habitudes à répéter », avait-elle ajouté.

Elle poursuit en ces termes exacts : « C'est une maladie qui nécessite que l'on s'occupe d'elle ».
Je ne peux m'empêcher de la regarder d'un air interrogateur et surpris…
En levant gracieusement, de manière symétrique, les deux bras vers le ciel, elle détaille sa pensée : « Oui, c'est une maladie qui nécessite force, persévérance et obstination. Notre cerveau oublie certains mouvements. Donc il faut l'entraîner de manière permanente et incessante pour qu'il s'en souvienne ! La volonté est primordiale ! »
Elle continue son récit, en expliquant « au début, je tremblais tellement qu'il m'était, par exemple, impossible de fermer mon

soutien-gorge. » Elle avait le côté gauche, tout comme moi, plus rigide et porteur des premiers symptômes. Je lui pose la question à savoir si, aujourd'hui après toutes ces années, elle était touchée de l'autre côté ?

Elle me répond « Non pas du tout, toujours à gauche, et je ne tremble presque plus. Même après tout ce temps, il y a certains moments, certains jours, où j'oublie complètement que j'ai un problème de santé ! Ce que je m'explique par mon travail quotidien d'une part, et d'autre part, par la nature de la maladie. En effet, cette pathologie est plus ou moins sévère. Tout comme sa progression est plus ou moins rapide. En ce qui me concerne, je suis persuadée qu'il y a un mélange de ces deux choses. Je ne suis pas atteinte par la forme la plus lourde et je me bats contre lui sans cesse. C'est pour cela, je pense, qu'aujourd'hui après tant d'années, seul un regard très averti comme celui des médecins peut déceler ma pathologie. Certaines journées, je suis plus fatiguée alors je ne marche pas, mais peu importe, je remets cette activité au lendemain ou surlendemain. »

Je me souviendrai de cette phrase aussi, « Cela fait 23 ans que je suis en « lune de miel ». Évidemment, je prends des médicaments, une quinzaine par jour. Je respecte des temps de repos. »

À nouveau levant les deux bras de manière très symétrique vers le ciel, elle m'interroge :

« Ai-je l'air malade à me regarder au premier abord ?

C'est à nous de décider aussi, d'aller bien ! »

La seule chose qui se voit le plus dans mon entourage, lorsque je suis fatiguée, ou en fin de journée, j'ai des problèmes pour articuler. Comme si je gardais un noyau de cerise coincé sous la langue. Pendant tout ce temps, j'ai absorbé ses paroles et je l'ai étudiée, observée, analysée dans ses gestes, dans sa façon d'être et son élocution ! Pendant tout ce temps, j'ai été attirée par une chose dont je me souviendrai toujours : ses yeux d'un bleu particulier, exceptionnellement clair et profond !

Elle a été fort agréable, m'a proposé de se revoir si je le souhaitais. Cette rencontre a été extrêmement enrichissante.

Je l'ai vue ! De mes yeux vue… Cette femme de soixante-huit ans, diagnostiquée à quarante-cinq ! J'ai vu, de mes yeux vue, cette femme blonde, gracieuse, au regard bleu clair et profond, chaussée de mocassins en daim rouge !

Un exemple, un flambeau, un être tout simplement à imiter dans son destin !

Cette rencontre fut une excellente pioche, dans mon jeu de cartes ! Cette partie sera exceptionnellement bien jouée, avec mes cartes du destin ! Car là, dans ma main, j'ai une série d'As…

À l'époque, j'avais écrit le texte suivant, à propos de cette personne et de notre longue conversation qui m'a donné bien des inspirations…

Un regard qui en disait long

Je pense souvent à cette femme charmante
Avec laquelle j'ai longuement conversé
Je l'ai trouvé bouleversante
Car, elle a très bien su m'expliquer

Qu'avec un peu de rigueur
En écoutant son corps et son cœur
En évitant les choses trop fatigantes
Se ménager, sans exagérer !
Se faire plaisir, ne pas se lamenter
Si l'attitude est gagnante

Avec un lot de bonnes habitudes à répéter
Avec ténacité
En un mot, avec un condensé
De pensées vertueuses ritualisées

On oubliait bien souvent
Celui qui se veut être des plus envahissants
« La preuve ! Cela fait déjà vingt-trois ans
Et, ai-je l'air malade, à me regarder ?
Non, car c'est à nous de le malmener ! »

Ces paroles, je ne les ai pas oubliées !

D'ailleurs, dans mon tableau, j'avais demandé au peintre de faire figurer cette femme. Lui précisant, avec insistance, mon souhait de la centrer sur la toile. Ainsi, au premier coup d'œil, elle devait apparaître à tout observateur. Interroger instantanément, chaque personne entrant dans mon intérieur, sur son importance, des plus marquante, quant à sa subtile et première place dans la mise en scène de l'œuvre. De toute évidence, les fameux mocassins ressortaient finement esquissés. Machinalement, je ne me suis jamais lassée de projeter un œil songeur en passant devant « mon petit chef-d'œuvre » !

La même semaine, devinez ce que j'ai effectué ? Eh bien, un menu plaisir, en m'achetant une veste rouge courte et surtout ma première paire de mocassins en daim. Seriez-vous capable de deviner de quelle couleur je les ai choisis ?

Bien sûr, sans même réfléchir, vous avez été, tout droit, conduits à la bonne couleur : celle qui correspond au ton vif, chaleureux, tel un feu de cheminée incandescent, le rouge ! Ce fut ainsi ma première acquisition de mocassins, chaussures plates au demeurant fort confortables. Qui, selon le modèle choisi, peut envelopper vos pieds avec une extrême finesse et beauté. J'ai toujours eu l'habitude de porter des chaussures à talons dont la hauteur était sans exagération. Mais de ce fait je me suis familiarisée avec une autre famille de souliers, des plus confortables loin d'être singuliers.

Ce premier achat semble, vu de l'extérieur, rempli jusqu'à l'extrémité de son bord, à un acte dénué d'importance.

Eh bien, figurez-vous, au contraire, cet investissement dans ces chaussures plates en tout cas celui qui fut le premier, marqua et imprimera désormais mon histoire.

Pour mon premier achat, j'ai dû faire de nombreuses boutiques. À l'époque, j'avais deux priorités. La première, être fort à l'aise une fois chaussée. La seconde, je ne les souhaitais non pas en cuir lisse, mais bel et bien en daim. Ah ! J'oubliais… J'ai multiplié les magasins, c'était parce que je voulais trouver le rouge identique à la veste que je venais d'acquérir. Mine de rien, la palette des rouges est d'une variété tellement riche et subtile !

J'étais alors remplie de bonheur et de fierté d'arborer cet assortiment entre le haut de mon corps et le bas, mes toutes finales extrémités. Pourquoi ? Parce que j'avais décidé de me pronostiquer le même destin que cette femme !

Puis, j'ai continué à acquérir, au fur et à mesure qu'ils furent usés des revêtements similaires pour mes pieds. Toutes les paires qui se succédèrent m'obligèrent, sans cesse, à penser au quotidien à m'exercer, à travailler, avec mes kinés, sur la bonne posture de ce membre... Celui-là même, qui avec honneur et pour mon bonheur devait porter les mocassins rouges de manière à les mettre tout en valeur !

Jusqu'à cette rencontre, dans cette petite pièce dont la porte nous avait été ouverte. Il ne me serait pas venu à l'esprit que telle Cendrillon de Perrault, à chaque nouvel essayage sortant de la boutique, avec ma boîte en carton et son précieux contenu, d'autres chaussures puissent connaître la même importance que celles essayées par la mythique figure de la littérature enfantine dont la pointure était des plus fines.

Je m'amuse aussi à penser que Charles Perrault, dans sa version, a créé des fées. Ces petits êtres bienveillants, dans mon imaginaire, sont probablement Pimprenelle, Ryeuse et Articule. Les coïncidences pleines de vraisemblances si flagrantes ont été, il faut absolument le dire, assommantes.

Le véritable texte de ce conte, si connu par le monde enfantin, date d'environ du IXe siècle avant J.-C. et il provient d'un continent extrêmement lointain. La version originale très éloignée de celle faisant partie de notre patrimoine culturel était beaucoup plus cruelle !

Et la citrouille alors ? Cet objet salvateur se transforme en carrosse et permet à l'héroïne d'arriver à la bonne heure. Sans cette chose que l'on retrouve, comme je l'ai auparavant évoqué, dans chaque schéma narratif, elle parviendra à sauver et bouleversera la destinée de l'héroïne.

Grâce à ce potimarron orangé, elle ne redeviendra pas souillon. C'est l'avenir d'une princesse qui s'ouvre pour cette petite déesse !

Encore une dose non négligeable de dopamine, délicieusement injectée, dès que mon esprit pense à cette femme, phénomène encré pour ma petite éternité. Sans le savoir, la blonde danseuse gracieuse a fourni une énorme pierre dans la construction de mon solide et si beau château de joie.

Et ce « plan »

Si nous évoquions, tout d'abord, les aspects psychiques, le moral et le mental ? Soyez assuré de leur première importance et de la vaste place à leur réserver dans l'ensemble des actions à mener…

Vous avez inévitablement remarqué l'absence quasiment totale du nom de la pathologie. Lorsque je l'évoque, j'emploie « l'autre » ! Seule ma neurologue, j'ai fait parler. Elle a nommé le mot de mes maux !

Je pressens votre interrogation sur ce choix ? Je vais vous en détailler les raisons.

Vous verrez, il n'y a rien d'extraordinaire dans mes commentaires.

Je ne souhaite pas entendre son nom ! Je suis parfaitement consciente de son existence. Mais est-il vraiment nécessaire de le rappeler en permanence ? Non, du moins, je le pense. Personnellement, il s'agit de maladresse. Contre lui, je me dresse, c'est le début d'une solution !

J'ai un autre questionnement. Vous êtes-vous déjà interrogé sur le terme, bien particulier, de « parkinsonien » ? Bien évidemment, j'ai aussi mon opinion. Je vais vous donner mes conclusions. « Parkinsonien », j'ai beau m'observer dans le miroir, il ne me semble pas avoir l'apparence d'un Martien !

On ne dit pas de quelqu'un qui a la grippe un « grippien » ou de celui qui a un cancer un « cancérien » ?

Cherchez bien ! Aucune pathologie n'a donné un nom de chien à celui qui en est atteint !

Pour commencer, j'efface ainsi de mon propre dictionnaire le terme de « Parkinsonien » qui a une intonation qui ne me plaît guère, pour ne pas dire proche du vulgaire. À présent, vous savez pourquoi !

Maintenant, abordons la dénomination même de la pathologie. Il s'agit d'une simple question de logique puisque personnellement, je souhaite l'éloigner de mon quotidien. D'où ma volonté d'effacer de ma sphère auditive son nom et abaisser l'écho des trois syllabes de celui dont je ne veux pas être envahi par l'existence. Ainsi, épargnons-nous tout supplice acoustique conduisant à l'absorption d'anxiolytiques et autres substances chimiques. Voyez-vous, c'est tout simplement une question de logique.

Donc, l'autre crétin clandestin a été rebaptisé par mes soins du sobriquet « Joe » ! Forcément, c'est délibérément avec une intention moqueuse, faisant référence aux frères Dalton, dans Lucky Luke, unis pour la défense des mauvaises causes, de véritables imbéciles, symboles emblématiques de la bêtise, qu'il ne m'a guère fallu faire un effort extraordinaire pour lui trouver un pseudo lui collant impeccablement au dos !

À partir de ce moment de mon histoire, ne soyez pas surpris si je l'appelle « Joe ».

Cependant, pour certaines choses… Il faut savoir s'adapter et surtout être en mesure d'accepter que pour le reste de votre vie, il vous fera suer ! Mes mots sont sagement mesurés car, chez les Rancurel, j'ai bien été éduquée !

Pourtant, il peut m'arriver de transformer sonorités et vocabulaires utilisés. Notamment les jours où il m'agace particulièrement !

Alors, il faut savoir l'apprivoiser… Lui faire croire… Qu'il est le « plus beau des hôtes de ces bois » le flatter, tel le corbeau de La Fontaine, afin qu'il lâche sa proie : c'est-à-dire, moi, Catalina ! Pour ce faire, apprendre à ressentir et écouter son corps. Il y a notamment deux choses dont il aime à profiter et qui lui font gagner de la hauteur. Il s'agit de la fatigue et du stress. Si vous êtes dans un de ces états alors tous les symptômes vont s'accentuer. C'est pour cela que je parle de « l'apprivoiser ». Dans ces moments-là, allongez-vous. Ainsi, il lâchera sa proie. Car, après un temps de repos, vous vous sentirez mieux et poursuivrez plus confortablement votre journée ! Même si le « mieux » oscille tel un curseur sur un baromètre allant de « beaucoup » à « peu ».

Quoi qu'il en soit, il est indélogeable puisqu'il a choisi mon corps pour habitacle, probablement parce qu'on n'y est bien ? Alors, forcément, cela crée des liens !

Autant travailler sur soi-même jusqu'à parvenir à l'acceptation de la cohabitation. C'est déjà un pas de géant, un énorme soulagement que de vivre sagement et beaucoup plus sereinement avec cet impertinent !

C'est ma politique et ma bonne conduite. Ne pas se lamenter sur des termes inadaptés pour veiller à ma santé et la protéger. Prendre l'autre à la légère me fait gagner bien des guerres.

Évidemment, nous sommes en total désaccord ! Mais il n'a pas réalisé qu'il est le principal invité « du dîner de c… » et dans son rôle, il est bien plus fort que Villeret. Moi, je suis chez moi tel un « ermite ». Tel un Thierry, je le manipule et je le tourne en ridicule. C'est lui l'invité du dîner ! « Joe » dans le premier rôle d'une comédie, dont le scénario était une succession de situations humoristiques, burlesques et rocambolesques.

Alors, nous accordons notre violon. Mais c'est moi qui tiens fermement l'archer, car je ne vais rien lâcher !

Il n'est nullement question de m'apitoyer sur mon sort !
Tout au contraire, bondir sur des ressorts !

Pour vivre le mieux possible avec « Joe », il faut longuement analyser, ressentir, essayer. Cela demande réflexion.

Avec beaucoup d'efforts, il existe un panel de choses à faire pour remettre Pépère dans un petit coin ! Je ne vends pas de rêve, ni le « monde de l'île aux enfants », celui qui ressemble à un paradis !

Mais se remettre en question, en mode action, afin de faire taire Mimil ! c'est réellement possible !

Je développerai longuement, de manière pratique et concrète, dans le chapitre « M'occuper de moi », les choses mises en place, mon quotidien pour aller bien.

Chacun a…, a eu…, ou aura… à se confronter à un cousin direct ou éloigné de « Joe ». Quelle que soit sa nature, son origine, sa source, son ampleur, son importance. Oui, ils sont nombreux, divers et variés, suite à une erreur de manipulation en laboratoire, d'où ils se sont échappés. Puis, ces vauriens se sont éparpillés envahissant la planète entière.

J'ai déjà développé quelques petites priorités applicables à tout incident sur les parcours de nos existences ; dont la rencontre de « Joe », le frère des trois autres lobotomisés !

— Je profite de l'instant présent.
— J'accumule les petites joies pour les transformer en grands bonheurs.
— Je fais preuve d'humanité et de mansuétude.
— Je demeure positive.
— J'ai promis à Socrate de toujours me relever.
— J'affiche mon sourire intérieur bienfaisant.
— Je conserve une dose d'humour, de légèreté et de bonne humeur.

Oh ! C'est un plan complexe, tel un immense puzzle en trois dimensions. Cet assemblage est composé d'une multitude de certitudes, d'actions, de réflexions, d'habitudes, de rituels et d'efforts, même devant les difficultés !

Pour le moment, je parlerai seulement des quelques simples éléments qui en forment les fondations. Des fondations que j'ai décidées antisismiques, même les jours où les plaques tectoniques de mon corps sont en mouvement !

Attention, à la règle d'or :
« Écouter son corps ! »

J'ai donc décidé, vu qu'il était devenu mon colocataire et ne pouvant rien y faire, de l'amadouer et de l'affubler du nom du petit ridicule nerveux grincheux.

Je lui fais l'offense de ne point l'appeler par son véritable nom, ce qui d'entrée lui donne moins d'importance !

Inutile de rejouer, sans cesse, les mêmes morceaux de violon ! Pas de noir, dans mon salon !

Voici donc les premiers cubes de béton armé qui composent une partie des bases de ma pyramide infaillible, qui comme celle de Ramsès II, n'est pas prête de s'effondrer !

Au pied de ma pyramide, j'ai planté de magnifiques rosiers ! Depuis six ans déjà, et pour tout le reste de mon existence, de splendides roses jaillissent entre les épines de ma vie.

Dès l'Antiquité, la rose fut vénérée. Les Grecs et les Romains la considéraient comme un présent des dieux aux hommes.

Fleur de légende, on voyait en elle le symbole du retour du printemps et du bonheur ! Lors des fêtes, on l'arborait en couronne et ses pétales jonchaient le sol. De par son parfum enivrant, on associait la rose à la joie.

Elle servait, aussi, à féliciter les soldats vainqueurs qui revenaient du combat :

— retour du printemps et du bonheur

— parfum enivrant associé à la joie

— retour du soldat vainqueur du combat !

C'est pour tous ces trésors symboliques, qu'au bas de ma pyramide inébranlable, j'ai ajouté dans le sol, ces belles plantes dont les pouvoirs sont reconnus depuis des siècles.

Ce chapitre fait apparaître la volonté d'une force mentale et psychologique. Entretenir un moral gagnant est assurément d'une extrême importance pour aller mieux. Il faut le vouloir, le décider et appliquer cette façon de penser. Les bases de ma pyramide sont ainsi remplies de positivisme. Cependant, en plus de cette attitude à cultiver, le panel des actions physiques est nécessairement complémentaire et indispensable !

Les questions se bousculent dans la tête...

Ici, je soulève un autre dilemme qui, pour certains, demeure un problème ; pour d'autres, ce n'est pas le cas. Je vais évoquer, dans mon vécu, des exemples de ce que j'appellerai le questionnement.

En parler ou pas ?

— Si oui, à qui en parler ?
À qui surtout ne pas en parler et pourquoi ?

Il s'agit d'une chose personnelle certes, j'y ai moi-même longuement réfléchi.

Je pense qu'il est raisonnable et de bon présage pour les relations professionnelles futures que la problématique de santé soit passée en message aux êtres les plus sages. Ceux qui mettent leurs pas professionnels dans vos sillages. Ceux qui travaillent avec vous au quotidien au même étage.

C'est ce que j'ai moi-même fait après avoir bien pesé le pour et le contre.
Il est évident que c'est une chose à préparer, en fonction des personnalités : trouver la succession des bons mots à aligner ! En ce qui me concerne, tout cela s'est bien passé. D'ailleurs, pour quiconque, il est difficile de penser qu'il en soit autrement.

Maintenant, il est évident que pendant un certain temps mes nouveaux collègues, ont dû avoir une crainte évidente. Je les comprends, car l'école du bonheur est une petite structure. Si je devais venir à être absente de manière récurrente et qu'il n'y ait pas de remplaçant pour assurer la prise en main de mes élèves ; alors vous imaginez les difficultés qui pourraient en découler.

Et les mois passant, tout en apprenant à bien me connaître ; leurs doutes sur mon sérieux, mon investissement et mes compétences professionnelles se sont rapidement éloignés.

Notre travail d'équipe est basé sur des fondations sincères, d'écoute, d'entraide et de confiance, le tout dans une bulle de sérénité !

Ainsi, dans les fins de période, lorsque je suis vraiment très fatiguée, j'en parle à mon directeur. Je lui envoie un petit message afin de lui expliquer : « En ce moment, il faut que je me ménage ». Un texto ou un mail, toujours traité avec une pointe de légèreté. Puisque, comme je le disais dans mes premières lignes, j'ai décidé très rapidement de ne point m'accabler sur mon sort.

Au contraire, de me monter sur des ressorts forgés dans un alliage particulier qui me permettent de rebondir du bon côté du rivage.

Avec qui éviter d'évoquer le sujet ?

Dans votre milieu professionnel, il y a des personnes avec lesquelles vous êtes moins intimes. Au début de mon histoire, je vous parle des activités sportives en mer qui les premières années furent des instants idylliques. Figurez-vous qu'elles finirent par se transformer en moments plutôt stressants. Justement, car j'avais à faire à des gens fort sympathiques, mais bien loin d'être proches de ma vie. De ce fait, j'ai considéré qu'il n'était ni raisonnable ni sage de leur faire part de l'existence de « Joe ». Car dans une petite ville, comme celle dans laquelle je travaille et j'habite, les informations se divulguent à la vitesse du son. Il arrive parfois que les propos soient quelque peu déformés, voire amplifiés.

Voilà donc ce qui s'est passé. J'ai toujours été obnubilée par la sécurité. Une des priorités en mer est d'avoir un gilet de sauvetage bien adapté et parfaitement ceinturé. Lorsque vous avez une main gauche un peu « feignante », pour ne pas dire empotée, cette manipulation est pénible car assez difficile ! Je vous propose une expérience. Celle de vérifier et serrer les sangles de vingt-cinq gilets de sauvetage avec une grosse moufle ! Histoire de comprendre... C'est impossible, irréalisable ! Pourtant, même si ma main va bien mieux qu'à une époque, ce genre de geste demeure difficile.

Alors, j'envoyais les enfants vers les moniteurs de manière à ce qu'ils vérifient et finissent d'accomplir la tâche. Mais ces gens-là ne savaient pas...

Finalement, j'ai opté pour ce que l'on nomme un pieux mensonge. Je leur ai raconté que, dans le passé, je m'étais fracturée le poignet à de multiples endroits et jamais je n'avais complètement récupéré force et aisance de mouvement. Cette petite histoire, au final, changea bien des choses. J'aurais dû le leur dire bien plus tôt ! Malgré mon petit arrangement, une espèce de stress a continué de planer, au-dessus de moi, les jours où nous allions en mer. Soyez certains que, sous mon regard averti, chaque gilet fut toujours des plus serré !

Pour conclure, ne pas hésiter, dans certains cas, à faire preuve d'imagination afin d'éviter toute position déplaisante. Vous serez obligatoirement confronté à ce genre de situation. Donc sans hésitation, faites preuve d'invention. Il suffit d'un brin de réflexion pour trouver une parade et l'étaler telle une bonne pommade ! Il n'y a donc aucune objection à prononcer, avec bon usage, ces petits mensonges puisque ces derniers arrondissent les angles et évitent des moments inconfortables.

Pour en revenir à la question « avec qui éviter d'en parler et pourquoi ? » Cela dépend des personnes de votre entourage, de leur caractère, leur aptitude à gérer les émotions et tout un tas d'autres facteurs environnementaux propres à chacun.

Me concernant, dans un souci de bienveillance, j'ai souhaité cacher la vérité aux parents d'élèves ! Chose normale, car ces derniers vous confient leurs enfants. Cela peut être une source de questionnements anxiogènes pour des familles de confier leurs enfants à une personne ayant des problèmes de santé !
Cela peut soulever bien des interrogations, alimenter les conversations et les rumeurs, noircir la réalité sur les ondes que je nomme « Radio trottoir ».

Alors, se taire ! Même si certains jours, dans mes déplacements pour me rendre jusqu'au portail vert, je n'ai pas l'allure de quelqu'un qui s'entraîne pour participer à un marathon ! Si parfois à la sortie des classes, un parent m'interpelle pour une quelconque question et que je sois fatiguée… Oui, lasse parce que pendant des heures je me suis mise en scène sur mon estrade et que j'ai traversé la classe de part en part. Quelquefois plus éreintée que d'habitude, car je supporte un colocataire pouvant me faire plus ou moins de misères. Il peut se produire, de temps à autre, une chose peu banale. Dans ma bouche, les mots s'entrechoquent et ne trouvent plus leur bonne place dans mes phrases. Il arrive aussi parfois que mon élocution soit peu claire, comme si j'avais un petit noyau coincé sous la langue.

Quoi qu'il en soit, peu importe !

L'essentiel est de ressentir les parents me percevant comme une enseignante qui mène sa classe avec dynamisme, « une main de fer dans un gant de velours ».
Une personne ferme mais bienveillante leur inspirant confiance.

Ces derniers me formulent leurs remerciements ou leur gratitude envers l'attention que je porte à leurs enfants. J'ai la chance d'avoir tout cela, alors je suis sereine. Même avec une patte qui traîne un peu, certains soirs, je m'aperçois que ce n'est pas du tout une source de soucis à leur égard. Au début, et ce pendant de longs mois, j'étais dans la crainte et l'incertitude. Je nageais dans une espèce de stress me rendant encore plus bancale ! J'avais peur que les petites faiblesses de mon enveloppe corporelle renvoient une mauvaise image de mon esprit intemporel.

Heureusement, aujourd'hui, je suis définitivement rassurée !

Être bien entourée

Il est, en effet, très important d'être bien entourée par des amis ! De toute façon, c'est eux qui viendront à vous ! J'ai la chance d'avoir Isabelle, Jacques, Marine, Luc. L'amitié nous entoure et nous enveloppe telle une bulle magique depuis plus de trente ans. Nous avons toujours été là pour nous protéger les uns les autres !

Épicuriens, bons vivants, heureux de notre destin !

Nous avons vécu ensemble des moments si festifs et merveilleux. Nous vieillirons assurément en nous tenant chaud, c'est infailliblement noté, dans l'histoire de nos vies, à l'encre indélébile !

Par rapport, à « Joe », mes amis sont devenus « Mes Anges Gardiens » ! Ils sont toujours, mais discrètement, là ! Ils ont compris comment vivre avec ce malotru ! Car celui-ci a intégré notre groupe à présent !

Ils ont appris à réorganiser nos journées et nos soirées. Ils respectent les distances de ma sphère intime ! D'un coup de baguette, ils savent à quel moment y entrer. Ils sont juste parfaits, car ce sont MES AMIS !

Vous êtes peut-être étonné ? Je ne vous parle pas de famille, dans ces paragraphes ? Bien sûr, ils sont à mes côtés ! Mais au niveau affectif, tout est amplifié. Nous sommes de la même lignée, de ce fait, ils n'arrivent pas à s'éloigner du sujet, à prendre du recul. Ils sont comme trop impliqués, ce qui est normal bien évidemment !

Ceux-ci vont donc chercher à tout décortiquer, analyser... Être en permanence passée à la loupe ne me place pas dans une situation des plus confortable. Cependant c'est irrémédiable, il est normal que ces derniers ne parviennent pas à apprivoiser ce détachement.

Alors, leur dire les choses, leur dévoiler toute vérité bien certainement ! Mais aussi savoir les protéger. Tout en les préservant, on se préserve soi-même, de toute évidence !

Mon mari

« ... Des murs blancs, au sol blanc, un bureau blanc, des chaises blanches et en face de moi, « ELLE » dans sa blouse blanche... » Il était là ! Pendant, longtemps, je l'ai oublié ! Je n'avais même pas pensé que lui aussi avait fait un vol dans un appareil hypersonique, puis qu'il avait été éjecté des cieux !

Sa place est bien plus grande à mes côtés. Son rôle a évolué. Il s'est adapté au rythme de « la douce et légère bise ». Il fait bien plus de choses au quotidien. Du soir au matin, il me tend la main. La différence entre lui et moi c'est sa grande colère après la vie et « Joe » ! Nous n'avons pas la même philosophie, c'est un peu normal, c'est un homme. Pour protéger leur clan, les hommes ont toujours pourchassé l'ennemi ! Se sentant impuissant, quelques fois, il en rumine de colère !

Pour lui, tout un livre serait à écrire !

Pour lui, qui doit aussi faire avec « Joe », l'intrus de notre vie !

Pour lui, qui aimerait tant pouvoir expulser ce squatter qui nous poursuit !

Voilà, nous vivons désormais à trois... mais celui-là, on n'en voulait pas !

Un métier passionnant aux multiples facettes !

Tous les matins, avec beaucoup d'entrain, je voyageais dans un train serein plein de bambins, tenant dans leurs mains de beaux bouquins. Je savais que le lendemain, le chemin serait tout aussi agréable dans mon wagon aux sons enfantins !

Chaque journée faite d'amour, de surprise, de diversité ou encore d'actions bien menées, ressemblait au plus beau des gâteaux d'un pâtissier renommé !

Sur mon parcours, je me suis aperçue, avec réjouissance, qu'en plus d'avoir été constitué de grands moments de plaisir, j'ai eu la chance d'exercer un métier fort utile !

De mes petites valises, je suis passée au modèle supérieur, les moyennes. Puis, encore au-dessus, les plus grosses, pour arriver jusqu'aux malles.

Maintenant, je possède une espèce d'énorme conteneur rempli d'un trésor subtil, loin d'être imaginaire, tellement riche, au contraire !

J'ai retrouvé dans mes malles, bien empilés, les uns sur les autres, d'anciens messages, différents témoignages. Aujourd'hui encore, il m'arrive de recevoir des nouvelles, des courriers et je continue à remplir tous mes bagages de bonheur !

Recevoir encore et toujours des retours, dans mes boîtes qu'elles soient « de mails » ou « aux lettres » continue à faire monter ma tour du bonheur. Elle atteint des sommets, d'une hauteur que jamais je n'aurais osé imaginer, dans le plus profond de mes rêves...

Voici, dans cette partie de mon récit, un petit recueil, aux mille saveurs, rempli de douceur, d'une lueur incandescente qui à jamais réchauffera mon cœur.

J'ai pu lire où entendre : « Madame, vous avez contribué, peut-être sans le savoir, à son épanouissement ! »

À présent, je réponds bien volontiers à tous ces gens :

« Élèves, parents, vous avez contribué et vous continuez à le faire, peut-être sans le savoir, à participer activement à stabiliser ma liste de médicaments... »

J'ai donné par amour et par conviction, sans me douter qu'un jour, j'en aurais autant de retours...

Dans les pages qui vont suivre, vous pourrez lire quelques-uns de ces petits témoignages qui ont tous une place de choix dans mon château de joie !

Enseigner les journées où « Joe » a décidé de se réveiller

C'est un métier aux multiples facettes et aux missions improbables, surtout lorsque « Joe » m'accompagne...

Notamment dans le troisième cas évoqué, il faut être franche et bien avouer : mener sa classe relève du miracle, en tous cas, d'une immense persévérance.

Cela tombe mal pour « Joe », car je suis un réservoir de persévérance et je suis souvent accompagnée de mon ange gardien. Je dis souvent car il lui arrive de rejoindre les trois bonnes fées ! Quant à elles, bien évidemment, j'ai beau les chercher, après avoir été nominées à la cérémonie des Césars, elles se sont définitivement envolées sur leur balai !

Tenir la journée ?

Il est vrai que dans ma tendre enfance, j'ai effectué un court séjour touristique à Lourdes et j'y ai ingurgité plusieurs cuillerées de la fameuse eau réputée pour ses grands bienfaits.

— Ces fameuses gouttes sont peut-être à l'origine du fait que je demeure en position fière et dressée les jours où « Joe » est dans ses moments de pire humeur ?

Cependant, je suis très cartésienne, car historienne de formation, et je doute du pouvoir de ces quelques gorgées fraîches ? Ah, si ! Il faut être honnête et dire toutes les vérités !

Cette eau a eu la grande vertu de bien me rafraîchir le gosier, en plein été, un jour de canicule !

— Ou serait-ce ma tentative permanente d'être le plus souvent de bonne humeur, travailler sur cette attitude et toujours penser à afficher mon sourire intérieur. Celui-là même déjà évoqué et dont l'apparition requiert aussi d'être régulièrement invoquée !

— Ou peut-être mon attitude abaissante et méprisante envers cette petite terreur de « Joe » ?

Je pense certains jours de classe maintenir le cap grâce, probablement, aux deux dernières éventualités évoquées. Ceci reste cependant une énigme…

Les humeurs de « Joe » !

Il faut, un certain temps, pour analyser « Joe », tenter de le cerner, comprendre son mode de fonctionnement, savoir comment s'attendre à ses sauts d'humeur.

Pour faire simple et résumer, il y a trois grandes possibilités

1) Effectivement, « Joe » peut-être en état de somnolence

Dans ce cas, il me fait penser à mon chat Perlita, dans un coin confortable et fort bien choisi, il passera son temps à dormir.

Il s'agit là, pour moi, d'excellentes journées où j'oublie complètement ce squatter, mauvais payeur !

J'adore ces magnifiques jours ! Cependant, je fais attention à ne pas l'agacer ! Pour cela, j'essaie de me ménager. Il a horreur que je sois fatiguée, et là, il me le fait savoir.

J'aime à penser…

Au tout début, lorsque mes journées se déroulaient ainsi, le soir venu, je ne pouvais m'empêcher de cogiter.

Combien de fois, j'ai pu m'interroger ?

« Cela n'est pas possible, erreur de diagnostic. Il y a eu un mélange entre les dossiers ! »

La secrétaire travaillant dans le laboratoire avait pour mission de classer, de ranger, puis de placer dans chaque dossier, sur lequel le nom du patient était en gros bien mentionné, les analyses de la personne concernée.

Je me plaisais à penser qu'elle devait être fort distraite le jour où, dans l'enveloppe de Madame Rancurel, celle-ci a glissé papiers et clichés.

Sûrement, plus passionnée à raconter sa soirée du week-end et bien moins concentrée sur les noms, aux grosses lettres majuscules, tracées d'un contour pourtant particulièrement épais, sur des enveloppes toutes préparées !

Je voudrais bien voir la tête de la godiche qui s'est complètement trompée en insérant les comptes-rendus médicaux dans ces fichus contenants distribués par les postiers !

Les analyses et les clichés ont été inversés avec ceux d'un autre patient !

C'est une erreur médicale, dont je suis une nouvelle victime ! « Ils se sont trompés, ce n'était pas mon dossier » !

Cette formule, j'aime à penser !

2) Possibilité intermédiaire de « Joe »

Tel mon chat Siamois, race réputée pour son mauvais caractère, à certains moments de la journée, pour des raisons non expliquées, d'un seul coup, il décide de me faire suer. Comme Perlita, c'est son quart d'heure de folie !

Montrer qu'il est là, râler d'un coup, pour une durée, un moment non défini en fonction de ses envies, et ses caprices ! Il faut savoir faire usage d'une grande patience, jusqu'à ce que la crise passe…

Le vrai souci, dans ce cas de figure, c'est la localisation géographique ! Les localisations, devrais-je dire, dans l'espace et dans mon corps !

Oui, « Joe » peut décider de faire un caprice, alors que je me promène de magasins en boutiques, exemple banal, à première vue. Dans ce cas, il me contrarie tellement que j'adorerai le mordre à pleines dents !

Une heure avant, je pars heureuse, tranquille et sereine. Contente, joyeuse et impatiente, car je me réserve un moment pour moi !

Mais cet enquiquineur agit comme il le souhaite, ainsi, il peut lui prendre la soudaine envie de me faire suer. En toute vérité, entre nous, suer, il n'en connaît pas la définition. Puisque stupide, il restera à jamais ! Par contre, lorsque je m'abaisse à sa petite hauteur, et je suis déjà en format bien réduit sur la touche du photocopieur, j'utilise des mots d'un tout autre registre et aussitôt, il comprend !

Pour deux raisons, la première, c'est le seul vocabulaire qu'il a à peu près saisi. La seconde résulte de la réaction colérique de la propriétaire, Catalina, de sa résidence trois étoiles dans laquelle il réside à l'œil !

S'il a décidé de me chambouler... Alors adieu mes belles allusions d'après-midi plaisir !

Une sensation de vertige survient. Lorsque j'ai balayé du regard, les articles de haut en bas, de gauche à droite. Entre temps, j'ai fait les cent pas, revenant en arrière à essayer de retrouver un pull « pas si mal au final » ! Alors, je cherche dans cette grande caverne. J'ai mis, enlevé, mes lunettes afin de regarder prix et composition du textile !

Résultat, d'un coup « Joe » me colle sur un bateau par jour de tempête. Agacée, je m'épuise davantage. Il ne me reste plus qu'une seule lueur celle de sortir, prendre l'air, m'asseoir, et attendre patiemment que cela aille mieux. Puis, « la petite tempête » passe ! La seule chose que je sais : c'est moi qui l'ai cherché ! Je connais de mieux en mieux « Joe ». Alors, autant préférer les petites boutiques ! Comme quoi, il n'y a pas seulement les fées qualifiables de godiches ! Il suffit de changer mes vieilles habitudes !

Je rentre dans mon petit nid, mon chez-moi. Je suis à la fois en colère et éreintée ! Mais l'essentiel est de ne pas s'arrêter, même si on se sent ralentir.

Ce n'est pas grave de tomber de cheval, l'essentiel, c'est de vite y remonter !

Pour preuve, dans la série godiche, je suis bien placée sur le podium. Ce jour-là, je suis revenue avec cinq articles magnifiques. Devant les yeux ébahis de mon mari ayant un peu de mal à comprendre qu'aucun n'était à la bonne taille ! Forcément, puisque vous l'avez bien compris, j'avais un peu forci, et surtout rien essayé !

Bref, deux jours après, je suis remontée à cheval, tel Lucky Luke, j'ai tout essayé en cabine et j'ai tiré plus vite que mon ombre ! Le pistolet a chauffé (la carte bleue), et... trois articles en plus !

3) Troisième comportement observable de « Joe »

Être de mauvaise humeur de bon matin et décider de m'enquiquiner pour toute la journée ! Je vais avoir comme des crampes ou encore ce que j'appelle des « crises de dos », ces jours-là, je suis très lasse ! Ma tension est au plus bas. Des vertiges surviennent. Mes gestes sont lents et imprécis... Il a horreur que je sois fatiguée ! Cet état doit l'agacer... Alors, il en profite pour s'énerver ! Bougre ! Il sait parfaitement comment, allègrement, m'allonger l'addition. J'insiste sur ce point ! Se réserver des moments de repos.

Un jour, ma neurologue a dit à mon mari « Cet état, Monsieur, ni vous ni même moi ne pouvons l'imaginer ! »

Dans ce cas-là, autant prendre les choses avec philosophie, puisque, quoi qu'il en soit, je n'ai pas le choix. Autant en profiter, m'allonger dans ma jolie chambre aux teintes apaisantes de blanc et de doré avec un magazine. Il s'agit même, à la limite, d'une excellente excuse pour lézarder ! Il faut voir les choses du bon côté.

Mes journées d'enseignante

Sachant que le plus embêtant est lorsque l'un de ces cas de figure, pouvant être inconfortable, survient d'un seul coup, comme s'il sortait de mon sac ! C'est dans ce moment-là, évidemment, lorsque devant toute une classe, il faut faire face, que la situation est regrettable, un épisode exécrable. Puisque « Joe » est incontrôlable et qu'il n'est pas sorti de mon cartable pour jouer une simple partie de Scrabble.

Alors, même si cette chose instable essaie de me mettre la tête dans le sable. Comme d'habitude, je rassemble mes forces et vieilles recettes afin de le rendre éjectable dans un petit coin, du style sous une table. Car le jour où cet opportuniste m'empêchera de mener ma classe jusqu'au bout ; ce jour est improbable ! Attention, cela sera éprouvant et désagréable. Cependant, si je suis sur place, je reste stable et je fais, comme je peux, ce que j'avais prévu dans le contenu de mon cahier journal !

Heureusement, tous mes collègues font en sorte que je me ménage ! Mille mercis à eux dans mon « école du bonheur » !

Nous tenions à vous remercier pour ces deux années passées auprès de notre fille Anna. En plus d'être une enseignante exceptionnelle, vous avez apporté soutien, écoute, bienveillance à l'égard d'Anna, mais également à notre égard, nous parents. C'est une chance de vous avoir eu sur notre chemin et on ne vous remerciera jamais assez car Anna gardera en tête, tous les bons conseils que vous avez pu lui inculquer.

L'an passé, nous avons appris, avec mes élèves, un chant, parmi tant d'autres. Il s'agissait des « Comédiens » de Charles Aznavour.

Ce soir, dans ma voiture, en rentrant de l'école, j'ai allumé la radio, et je l'ai entendu.

Depuis plusieurs heures, je l'ai en tête, et je n'arrive pas à me défaire de cet air et des paroles qui l'accompagnent.

C'est ainsi que j'ai trouvé qu'il y avait des corrélations, évidentes finalement, entre les idées de ce grand chansonnier et les contenus de mon métier.

Je m'en suis donc inspirée pour poser, dans le désordre, mes pensées comme dans une hotte remplie d'objets entremêlés. Souvent, c'est dans un grand sac, tout en vrac, sur ce qui se nomme un dictaphone, donc à l'oral, que je laisse mon premier jet. Généralement, à cette heure-là, j'ai la tête sur l'oreiller.

Aujourd'hui, je reprends mon cabas pour démêler ce chantier de vérités. Cela ressemble un peu à un combat, car il faut remettre de l'ordre dans le bataillon et à chaque place ses pions.

Je suis enseignante, et toute à la fois comédienne, musicienne et magicienne. Je devrai, tout au long de la journée, combiner les divers savoir-faire de tous ces métiers de saltimbanques.

Ma piste, c'est mon estrade.
Mon décor, c'est mon tableau.
Mon public est constitué de mes élèves.

C'est dans ma classe et toute l'école que, du matin jusqu'au soir, je caracole, bien chaussée de mes mocassins rouges en daim !

Avant l'arrivée des enfants, j'ai déjà remis, machinalement, en place l'estrade qui avait un peu bougé. J'ai préparé mon tableau en y inscrivant, précisément, les apprentissages de la journée pour message et repérage.

Avant d'être mutée dans ce lieu de travail inattendu, j'ai parcouru bien des villages, bien des faubourgs, bien des écoles. À chaque mission, j'ai donné la parade, à grand renfort de tambours pour me faire connaître et reconnaître, par un public sans cesse inconnu ! Ainsi, pendant plusieurs années, j'ai traîné ma roulotte !

Tantôt enseignante en lycée professionnel pour malentendants, puis remplaçante à droite et à gauche de la petite section jusqu'au CM2. Ensuite, Directrice d'école en zone d'éducation prioritaire, pour poursuivre, enseignante en moyenne section, et puis là, à nouveau « dans mon école du bonheur » enseignante d'un double cours CE2/CM1.

124

Moyenne section de maternelle

— Il est tout simplement impossible d'accomplir un retour sur mon passé sans évoquer les belles rencontres humaines, ainsi que les connaissances amicales qui ont jalonné ma carrière sur le chemin de ma vie professionnelle.

— Il est tout simplement impossible de ne pas évoquer mes douze longues et belles années de bonheur et de plaisir intense en « moyenne section » avec la plus merveilleuse des ATSEM, Maryse.

On dit souvent que les 1ère années d'école ne marque pas un enfant, mais moi je pense que Luka se souviendra toujours de vous et de cette année pleine de rebondissements et surtout à vous qui lui avez appris à devenir grand...

Un GRAND MERCI... et Bonnes Vacances !!!

Pour anecdote, souvent, le matin, j'avais mon antidote posé sur mon bureau. Avec amour, dès le début de mon aventure, en revenant de ma surveillance de cours… Je trouvais, souvent sur mon bureau, toujours dans de la belle vaisselle, un jus de fruits fraîchement pressé. Ce petit geste du matin m'était accordé avec soin et me touchait beaucoup !

Il provenait de l'immense gentillesse de ces fabuleuses dames de la cantine, qui prenaient le temps de me préparer une délicieuse potion vitaminée !

Jamais je ne remercierai suffisamment ces belles personnes qui pendant toutes ces années ont pris, avec beaucoup d'attention, le soin de me faire plaisir.

Comme elles disaient :
« On s'occupe de notre P'tite maîtresse ! »

Avec des enfants de trois à quatre ans, il faut un dynamisme impeccable afin que, d'une main de chef d'orchestre, les journées se déroulent sur une belle partition. Chaque note du solfège est précisément positionnée, alignement constituant ainsi la gamme d'une agréable journée. Un enseignant de maternelle prévoit chaque moment aux battements de la pulsation de cet instrument, des plus spécial. Ainsi, très paradoxalement, il faut être en mesure de faire volte-face, car bien souvent, les enfants s'emparent de ce métronome indispensable. Alors, il est nécessaire de jongler, effectuer de belles pirouettes pour les contenter. Puis retomber sur mes pieds. Certes, vous l'aurez compris, il faut être très habile afin que mes petits et moi-même passions de bonnes journées. Avec « Joe », mes sauts périlleux devenaient de moins en moins acrobatiques.

Tiens ! Mes propos me rappellent la description de ce métier où s'exercent tous ces saltimbanques aux actions bien coordonnées.

C'est une profession pour laquelle les talons ne sont pas recommandés, car bien peu confortables étant donné que toute la journée, vous courrez.

En fait, j'ai toujours collectionné les chaussures plates. C'est à partir de 2016 qu'une nouveauté s'est glissée dans mon placard à souliers. Oui, il me manquait, alors, ceux en daim rouge.

Comme l'atteste le résumé condensé, en mode accéléré, si réel, muni d'un minuscule soupçon d'exagération, petite note provenant, tout simplement, du fait que tous ces événements se produisent, dans mon histoire, sur une même journée. Sinon tout le reste n'est que pure réalité. Les lignes qui suivent décrivent la réalité du métier ! Je mets au défi tout enseignant de ne pas s'y retrouver, au moins sur un passage ! Puisque ce récit est basé sur une compilation de faits réels ! Un assemblage de micros-évènements vécus par des débutants dans la maison de l'Éducation... J'étais inscrite sur la liste « des maîtres d'accueil. » J'ai donc reçu des stagiaires, afin de pouvoir communiquer ma passion et mon expérience pour cette profession, si particulière ! Travail prenant, en permanence en pleine action, il deviendra rapidement éprouvant me concernant. Ainsi, vous allez saisir à la lecture de ce texte, qu'exercer cette profession, avec « Joe », a rendu les choses franchement difficiles sur les deux dernières années. Ce malgré toute la meilleure et profonde volonté de ma chère Maryse qui a toujours été à mes côtés. À la fin de notre aventure, elle ne m'a pas lâchée une seconde. Telle une véritable fée, elle s'est complètement dédoublée afin de m'aider, encore davantage. Nous sommes liées par une très profonde amitié qui s'est développée pendant ces douze belles années.

Aventures d'un jeune homme qui pensait avoir trouvé sa voie !

Maître André ou début dans la profession !

Monsieur André est un tout nouveau professeur des écoles, c'est sa deuxième rentrée. Il a surtout fait des remplacements en changeant régulièrement de niveau.

Il a notamment exercé en maternelle, donc ce n'est pas, pour lui, un élément complètement nouveau.

Vu son jeune âge et le fait qu'il est en début de carrière, il n'a pas encore de poste fixe. Cependant, pour l'heure, il est en remplacement sur un congé maternité donc sa présence, dans cette école, va durer plusieurs mois.

Il arrive plus tôt que ses collègues pour prévoir un temps de découpage d'étiquettes ; se sera déjà bien agacé après le photocopieur pour y faire passer un papier d'une autre épaisseur ; pour les mathématiques, il a prévu des barquettes individuelles où, à chaque fois, il a distribué trois chats de tailles et de couleurs bien particulières ; il a sorti le matériel pour la motricité, couru après les dossards verts que les CM avaient laissé dans la classe 14, merci Mme Nevère ! Comme s'il n'avait pas assez à faire…

Déjà trempé de sueur, il revêt son plus agréable sourire, avant d'ouvrir la porte, pour « l'accueil » des élèves. Il sait qu'il s'agit d'un moment important de transition entre maison/école !

ACCUEIL. Il essaiera de mémoriser 346 informations ; celui qui a mal dormi ; celui qui partira plus tôt pour aller chez le dentiste ; celui dont les grands-parents, de La Nouvelle-Orléans, inconnus de tous, viendront récupérer le petit à la sortie ; celui qui a de la diarrhée ; celui qui mangera exceptionnellement à la cantine ; les sœurs jumelles qui ne resteront pas à la garderie… Paul, de parents divorcés, cette semaine, exceptionnellement, sera celle du père donc penser à lui donner sa petite valise à 16 h 30 ; 3 demandes de rendez-vous ; les cartes Pokémon qui ont disparu ; la puce du badge cantine hors service ; organiser un anniversaire ce vendredi…

Ouf ! L'accueil est terminé ! Maître André referme la porte. Rapidement, il va finir de noter la vague d'informations qui s'est déferlée sur lui ! La journée ne fait que commencer !

SÉANCE DE MOTRICITÉ. 9 h 30 indique sa montre. C'est son créneau, pour se rendre dans la grande salle, à l'autre extrémité du bâtiment.

En motricité, il essaie de se débattre pour obtenir une ronde et de courir en son centre (en fait, il le rêve, car il n'y en a point) afin de remettre les mains dans les mains et de faire en sorte que la chose ressemble, à peu près, à une forme circulaire. C'est alors que, dans l'espace au parquet bleu, se dessine quelque chose de bizarre, sans cesse en mouvement, telles des vagues. Peu importe, ce nouvel élément, pseudo-géométrique, est presque bouclé ! Il suffit que maître André s'y inclue, au plus vite !

Le minot, à côté de lui, juste avant de lui donner la main essuie du revers, de celle-ci, la morve de son nez et l'applique soigneusement dans la paume de Maître André.

Dommage ! La ronde était presque faite !

Du coup, il lâche tout pour précipitamment saisir une lingette désinfectante, à côté de la chaîne hi-fi, et le temps qu'il se retourne…

Les gamins sont éparpillés, dans les douze coins de la salle, en mode « Gremlins » !

Alors, Maître André va se mettre à crier, car devant la scène, il ne voit pas d'autre possibilité. Malheureusement, ce n'est pas ce qu'il faut faire, cela ne sert à rien et n'apporte pas de bonne solution ! Mais cela, il l'apprendra avec le temps…

En fait, les gamins sont encore plus excités. N'ayant pas le réflexe, il ne fait pas de « retour au calme ».

C'est dans cette atmosphère électrique surchargée qu'ils traversent les couloirs de l'école, ameutant toutes les classes, et que les loupiots de la « cohorte cohue » retrouvent ses murs verts au petit mobilier jaune. Il n'a pas fini de transpirer ! Heureusement pour lui, L'ATSEM surgit à ce moment-là, et entonne de sa voix douce et connue de tous, un air ressemblant à une berceuse qui calme, quasiment instantanément, l'ensemble des enfants.

Mais cette femme va devoir aussitôt disparaître, dans cette école il n'y a qu'une ATSEM pour deux classes. De plus, l'une d'entre elles est malade, donc priorité aux tout petits.

Maître André se dit : « Ouf ! Deux choses sont passées, d'une part l'accueil, d'autre part, la séance de motricité ! »
Mais la journée est loin d'être terminée !

LA JOURNÉE. Entre quatre ateliers d'apprentissage, il se sera baissé et levé, une cinquantaine de fois ; aura refait une trentaine de lacets, remonté vingt-cinq fermetures éclairs, descendu tout autant, reconduit la même intervention l'après-midi, sans oublier les gants et les bonnets l'hiver, visser casquettes et chapeaux l'été ; consolé de multiples chagrins ; se sera précipité pour séparer ceux qui en viennent aux mains ; pris trois à cinq fois la température ; s'agacera à chercher le téléphone (jamais reposé à sa place) pour appeler plusieurs parents ; éventuellement, on lui aura vomi sur les chaussures ; pris quelques nuages d'éternuements en pleine figure, de nombreux bisous bien baveux ; changé celui qui s'est encore fait pipi dessus au moment où l'ATSEM est en pause ; mouché une douzaine de narines ; désinfecté cinq à huit égratignures ; précipitamment recherché la poche de glace, encore disparue pour vite la poser sur le front de l'étourdi qui a couru et oublié qu'il y avait un mur ; rempli deux déclarations d'accidents pour une dent et une paire de lunettes ; ramassé la belle touffe de cheveux coupée pendant qu'il expliquait que 2 chats et encore 1 vont faire 3 ; retiré la pâte à modeler de l'oreille de Louise qui habituellement préfère boire le contenu de son pot de colle… !

Sur les nerfs, il implore les aiguilles de l'horloge !

Cependant, contrarié car il va falloir expliquer à la tante Bertha qu'un jeune stagiaire en coiffure a tenté de reproduire la coupe de « Joloi L'Iroquois » sur l'épaisse chevelure de sa petite nièce ! Impeccable, toujours tirée « à quatre épingles » et coiffée façon « au pays de Candy » !

Énervé, agacé, fatigué, il va se rasseoir avec vigueur sur la mini chaise jaune, en mode jeu dinette qui cédera sous son poids !

Pourtant, cela fait des semaines qu'il a demandé à ce qu'elle soit changée !

ATELIER NUMÉROTATION. En plein début de dépression, il finira quand même sa manipulation en mathématiques avec ses chats en plastique !

Mais là, à cet instant, ses nerfs craquent ! Ayant perdu toute logique… Il demande sur un ton critique :

— Bon, il y a 3 chats ! Le plus mignon, mais le plus couillon, se fait littéralement écraser par un énorme camion de livraison…

OK ! Compris les petits champions ?

Alors, écoutez bien ma question ! :

— Il en reste combien après l'incinération de Pompon » ?

— Mais, maît-e And-é, c'est quoi « inciné-tion » ? demande un dénommé Arthur.

L'enseignant, à l'agonie, lui rétorque :

— Toi, A-thur, avec ton ablation chirurgicale, sous anesthésie locale, de tous tes sons « R », j'en ai assez de te faire répéter les mots co-ectement !

Puis, maître André poursuit :

— Incinéa-tion, c'est comme quand maman elle oublie, toute la jou-née dans le fou-allumé, la-atatouille et le-ôti !

— Ah ! d'acco-d, poursuit l'enfant ; et Pompon alo-s ?

— Il est cuit, cuit ton Pompon ! répond maître André exaspéré !

Alors, on « l'enlève » ! poursuit-il, au bout de ses capacités, de sagesse humaine !

Trouvant quelque part, au fond de son puits de pseudo patience, une once d'espoir, il questionne à nouveau les enfants.

— J'avais 3 chats, le tout petit a disparu... Alors ! Arthur combien il en reste dans ta barquette ?

— Il reste le papa et la maman ! Analyse le petit, après avoir bien pris le temps de visionner le contenu de sa boîte. Car, c'est un enfant soucieux de bien faire, notre Arthur !

— Donc... donc... donc... demande l'enseignant...

Alors, l'élève observe longuement, longuement... les formes posées dans ce contenant blanc.

Monsieur André est sur le qui-vive ! « C'est bon ! IL VA ME DIRE 2 ! »

— Ben, ils pleu-ent ! Sont t-sites ! Pa-ce que Pompon est cuit ! répond l'enfant.

Maître André observe le petit Arthur d'un air profondément dépité, la mission est au-dessus de ses forces, parce qu'il n'en a, d'ailleurs, plus !

Il regarde vaguement les autres enfants du groupe assis autour de la petite table, des fois, qu'il voit une lueur dans les yeux d'un d'entre eux ?

Un milligramme, divisé par 4, D'ESPOIR !

Mais non, deux se sont mis à jouer à la bagarre avec leurs chats, un autre est en train de mâchouiller allègrement la queue d'un de ces animaux.

Le dernier s'applique, certes !
Oh ! oui, qu'est-ce qu'il est concentré !
Oh là ! Quel effort…
Mais pas à compter, plutôt à viser sa camarade et lui lance, avec fougue et énergie, son plus gros félin en pleine face ! Celle-ci se met à hurler.

Il faudra, encore, qu'il explique aux parents, à la sortie de fin d'après-midi, « que la mioche a la joue griffée, parce qu'elle s'est fait attaquer, en pleine classe, par un chat sauvage ! »

Maître André arrête tout, ne trouve pas d'autres solutions que de se remettre à crier.
Il remballe, vite fait, ses chats en plastique, on s'arrêtera là, pour les mathématiques.

Celui-là donnera sa démission ! Sans sommation, directement dans la boîte de l'Inspection sur un vieux papier canson, écrit tout en « gribouillons », avec un gros crayon marron !

Conclusion

C'est le plus beau métier du monde !
Elle se moque de nous ? Pensez-vous ?
Non, je vous l'assure… !

Plonger dans l'action et la réflexion, organiser des séances de motricité quotidiennes, avec toujours des idées à renouveler, inventer et innover ! Ne pas s'énerver après celui qui hurle parce qu'il a perdu au jeu du ballon prisonnier.

Il est nécessaire de surprendre ces enfants. Paradoxalement, ces êtres en construction ont besoin de repères ritualisés pour être rassurés et se situer dans le temps. Sans cesse, leur curiosité doit être alimentée de nouveautés diverses et variées.

Toujours se trouver au cœur de l'action, sans interruption, animer la flamme au centre de la classe. Jouer avec sa voix, mouvoir son corps dans l'espace…

En dehors des heures de présence face aux enfants, le temps de préparation est des plus longs. Certes, pas de cahier à corriger. Cependant, le bon roulement et déroulement des ateliers d'apprentissage est un travail qui se doit réfléchi, nécessitant bien des préparations, pour qu'il n'y ait point de faille. Bref, une rigueur indispensable pour passer une journée de bonheur. Quoi qu'il en soit, certains jours, des imprévus, il peut y en avoir. Là encore, savoir faire face, dégainer le plan « B », tout bien préparé et rangé !

De tous les chemins de l'enseignement, celui de la Maternelle est très particulier et au final, sans aucun doute le plus prenant et le plus intense si l'on alimente les abeilles de sa ruche !

Vous obtiendrez alors un nectar divin. Oh ! Quelle richesse, le bonheur y est souverain !

« Notre bulle », comme nous l'appelions, était devenue une espèce de « classe témoin » où je recevais, à sa demande, la conseillère pédagogique. Elle adorait, franchement, rendre visite à mes « Moyens ». De temps en temps, elle filmait ou photographiait nos activités.

Figurez-vous qu'à partir de 2017, mes rondes ressemblaient de plus en plus à celles de maître André. Remonter sans cesse les fermetures éclairs, faire des lacets X fois dans la journée me prenait un temps fou ! Bref, le ciel s'assombrissait à cause de nuages de difficultés qui s'accumulaient. Cela finissait par sentir l'orage ! Ne quittant jamais l'école avant 18 heures, je rentrai exténuée, lasse et remplie de douleurs bien particulières, celles dues à « Joe » !

Dans le chapitre 1, je note :

Dans mon histoire, j'ai réuni quelques écrits de personnes dans les yeux desquelles j'ai vu cette lueur ! Tellement vue, quelques fois, que je l'ai ressentie en plein cœur ! Ce n'est pas une valise, non ! Ce sont des « malles de bonheur » que je me suis ainsi remplie !

Je vous laisse lire quelques témoignages qui jalonnent mon récit. Quelques fois, les mots sont si forts qu'ils me remplissent d'émotion, toujours et encore !

Je regrette une chose, ne pas avoir tout conservé au fil des années !

Merci pour votre gentillesse, votre travail et votre disponibilité, je ne parle pas seulement de Rebecca, mais également d'Alexendre, je reste convaincu que vous m'avez été d'une grande aide et que vous avez contribué peut-être sans le savoir au développement de son bien être.
J'ai eu le plaisir de vous connaître et de vous côtoyer [...]

D'ailleurs, c'est à cette époque que je m'étais enfin décidée à préparer le CAFI.

Alors que j'avais passé des mois et tout un été à me consacrer au dossier, afin d'obtenir mon diplôme de Maître Formateur, en plein travail, je me sentais lasse, fatiguée. De tout ce que je lisais, je retenais bien peu de choses.

Jusqu'au jour où je me suis résolue à prévenir mon Inspection que j'abandonnais.

Il s'agissait en fait des premiers signes de l'annonce du siège de mon corps par « Joe » !

Je vais vous rapporter un autre moment de vie dans « notre bulle », fait datant de quelques années auparavant…

L'histoire de Laurine ou « Ma Poule, Ma Poulette ! »

Il fut une période, entre le tout début de la « grande partie de Scrabble sur le lexique médical » et le moment où j'ai été éjectée « des cieux par Dieu », pendant laquelle il a fallu que je me remette de mes multiples contusions et commotions dues à la violence de l'impact !

Pendant ce temps, ma classe avait été prise en main par une remplaçante nommée Laurine.

Tout ce qui va suivre, à la virgule près, n'est que pure retranscription d'un temps passé ! Si je le pouvais, alors sans hésitation, je vous communiquerais les numéros de téléphone des personnes concernées afin qu'elles attestent des paroles et des faits !

Alors que je commençais à aller mieux, je décide un jour de faire « un coucou » dans mon école, une envie de petit tour.

Pour être certaine de trouver Maryse et ma « mini basse-cour », oui que la classe ne soit pas sortie, je décide d'avertir en téléphonant à mon ATSEM préférée.

J'ouvre le portail, tout émoustillée, pleine de gaieté, avec un grand sourire affiché ! Je passe du côté élémentaire, c'était encore sur le temps de la récréation.

Chantal venait régulièrement me rendre visite, au moins une fois par semaine. Nous étions amies et voisines de quartier. Elle m'explique alors :

« Depuis que ta remplaçante sait que tu vas arriver, elle a une pression terrible. Elle questionne, tout le monde, ce qu'il faut faire, ne pas faire, dire ne pas dire ? Elle a demandé à passer la récréation à ranger la classe. La pauvre est stressée comme pas possible ! »

— Ah bon ! Mais pourquoi ?

— Tu vas voir ! me rétorque Chantal avec un air malicieux.

J'avance dans le long couloir qui me mène du côté de la maternelle. Tout en déroulant mes pas, je ne peux m'empêcher de penser, tiens « le vieux singe sage » serait-il ressorti de sa cage ? L'animal ne s'est tout de même pas échappé une nouvelle fois du zoo ! S'il s'avérait que ce soit le cas j'ose espérer que la bête ne soit pas à l'origine des soucis de la jeune fille !

Maryse, gaie comme un pinson, me serre dans ses bras, puis elle éclate de rire !

« La petite, je crois qu'elle va mourir, parce qu'elle te sait en chemin ! »

J'entre dans la classe. La jeune femme était debout en train de tout remuer.

« Bonjour, je suis enchantée de faire ta connaissance ! lui dis-je, habillée d'un sourire bienveillant.

— Bonjour Madame Rancurel ! Je vous préviens tout de suite, parce que cela va se voir, je suis très stressée… C'est un véritable honneur que de travailler dans votre classe ! Un honneur et un bonheur !

— Eh ! Oh ! Oh là ! Il ne faut, quand même pas exagérer ?

— Vous avez une telle réputation !

Finalement, j'étais bien plus gênée qu'elle ! J'avais raison, le soigneur avait mal refermé le portillon de l'enclos dans lequel se trouvait le « vieux singe sage » et il s'était carapaté !

Me voilà saisie par une envie pressée d'en finir avec toutes ces courbettes d'alouette. Même si je la savais sincère, car elle n'était pas mon premier retour sur ces informations, pour moi, dérangeantes du moins très gênantes. Je suis une personne discrète, c'est dans « ma bulle » en compagnie de Maryse que j'aimais être.

Machinalement, je lui tape sur l'épaule et lui dis sans même réfléchir, avec des mots jamais prononcés par ma bouche.

— Pas de soucis, tout va très bien se passer « ma poule » ! Alors, décontractons-nous et raconte-moi ce que vous avez mené comme projet avec mes élèves, je suis admirative devant tout cet affichage dans la classe ! Pour commencer, arrête de m'appeler Madame Rancurel ! Respire un grand coup ! Mon prénom, c'est Catalina ! Reprenons depuis le début !

Maryse faisait mine de s'occuper afin de rester à proximité et écouter ! Je la connais par cœur, en croisant nos regards, elle a lu dans mes yeux. Quant à moi, j'ai deviné, derrière ses pommettes, qu'elle se mordait la langue pour ne pas laisser s'ouvrir un grandissime sourire !

Je sors de ma classe… Laurine me regarde d'un air surpris ! Ainsi, je découvre trois collègues, cachées dans le couloir, n'en perdant pas une miette. Je leur lance un regard noir, puis je soupire vers le ciel, d'un air de dire : déjà pas facile les filles, alors jouez la fine !

Je toque à la porte et renouvelle mon entrée !

« Bonjour, je m'appelle Catalina, toi, c'est Laurine ? »

Elle m'adresse un sourire et sa tension redescend. Nous avons sympathisé. Ainsi, elle a été « mon complément » lorsque j'ai travaillé à 75 %, l'année suivante.

Depuis ce jour, je l'ai toujours surnommée « Ma poule… Ma poulette » !

Elle a appris à me connaître et vu que je ne ressemblais pas à un dieu ! Enfin, à ses yeux, je suis restée un être à part ! Pourtant, j'ai tout fait pour qu'elle ait un autre regard ! Je n'y pouvais rien ! Comme au début de mon histoire, dans « l'école du bonheur », le « vieux singe sage » qui en apparence, semble détenir tous les savoirs était ressorti de sa cage. Toute ma vie, cette brave bête m'aura décidément poursuivie.

Elle a rapidement compris que je voulais travailler dans le partage des savoirs, dans la sérénité, l'entraide, la bonne humeur et le plaisir ! Ces mots résument la définition de ce que nous appelions « notre bulle », endroit douillet, dont le petit nom avait bien été trouvé par Maryse !

Pour tout le reste, je n'avais rien fait de particulier ! Cela ne venait pas de moi ! Maintenant, ce que laissait paraître mon être, je n'y pouvais rien ! Par contre, je ressors forte, robuste, fière et grandie de toutes ces précieuses richesses accumulées grâce à ma profession !

Lorsque je prononce mon petit discours de départ, nous avons été filmées. À un moment donné, je la cherche dans la petite assemblée, je commence à dire : « en ce qui concerne, ma poule, ma poulette », avec ma tenue et ma voix théâtrales, avec lesquelles j'aimais tellement jouer ! Sur le film, envahie par l'émotion, Laurine se met à pleurer !

Malgré moi, je suis parvenue, incroyablement, de partout, où j'ai traîné ma roulotte, à ma stupéfaction, de tout temps, en tous lieux, comme l'atteste encore mon dernier directeur, à me faire reconnaître et à gagner rapidement la confiance et le respect des parents ! Cela signifie que mes bonnes habitudes, je vais les transférer dans un tout autre contexte, une deuxième mission dans un dossier complètement différent !

Bien sûr conserver mes attitudes positives et vieilles habitudes, dont la persévérance, et de surcroît veiller à les renforcer !

À présent, à vous de jouer !
À vous de fabriquer de bons ressorts !
À vous de trouver un sac pour mettre tout cela en vrac !

À vous de trouver une valise vide et la remplir de vos expériences bien empilées et pliées !

À vous de vous bâtir votre paroi rocheuse de bonheur et votre grand château fortifié de joie.

Cet épisode, avec Laurine, ne vous semble-t-il pas avoir des similitudes surprenantes avec Jessie de l'école du bonheur ? Souvenez-vous, « rosier parfumé, flacon délicat et ce si gentil courrier ». C'est tout de même étonnant ! À des années d'intervalle, à des kilomètres de distance, dans des villes complètement différentes, j'ai vécu des événements des plus similaires. Laurine et Jessie, qui ne se connaissent pas et ne se croiseront jamais, ont eu à mon égard absolument la même réaction ! C'est tout de même marquant, non ? Je vous rapporte ici l'histoire vécue avec ces deux jeunes filles, mais bien d'autres rencontres, dans des circonstances encore autres, se sont déroulées de la même manière.

Nous sommes dans une situation détonante de par ces ressemblances !

Encore une énorme pierre dans mon château de joie ! Une grosse dose de dopamine que voilà !

En fin d'année, Laurine me présenta un emballage aux couleurs dorées. L'aspect de la boîte était minutieux, délicat. Celle-ci, entourée d'un beau ruban, reflétait élégance et féminité. J'ouvre ce présent, à l'intérieur duquel il y avait un joli pendentif. Je le sors de son écrin et l'observe en tout sens. Objet étonnamment beau cependant je n'arrivais pas à comprendre ce qu'il représentait…

Laurine m'observe, sourit et doucement, j'entends : « J'ai choisi celui-ci en pensant qu'il t'était tout spécialement destiné. »

Ne voyant dans mon esprit aucune lumière, ma jeune collègue poursuit avec délicatesse en parlant tout bas, comme si elle me confiait un beau secret.

« C'est un Phénix, oiseau de feu. D'après la légende, il a le pouvoir de renaître de ses cendres. Cette créature mythique est le symbole de la force. Il te portera bonheur ! »

Bien sûr ! D'un seul coup, une vague d'émotion m'a emportée. Ce flot déferlant portait dans son écume l'objet en lui-même et les paroles prononcées. Et hop ! Une bonne dose de dopamine, à nouveau, a circulé de toutes parts dans mon cerveau.

Réfléchissez bien !

De valises, passez aux malles bien remplies. Plus fort dans votre attitude, avec un moral positif, vous gagnez sur l'adversaire !

Vous conservez un bon niveau de volonté, d'effort, de régularité et de persévérance pour vos actions à mener au quotidien !

Tous mes petits bonheurs, j'en suis à l'origine de par mes efforts ! Mes plus grands, quant à eux, viennent de l'accumulation de ma ténacité et du ciel !

L'investissement, dont j'ai naturellement fait preuve, m'a procuré tant de bonheur en retour ! Oui, sur cette photo de fin d'année, souvenir d'une surprise organisée, je pleure ! Des larmes de bonheur et de joie ! Des moments si intenses qui ont jalonné l'ensemble de mon parcours !

Toutes les manifestations et les remerciements ont largement contribué à l'enrichissement d'une marque de mouchoirs en papier ! Enfants, parents et collègues m'ont fait vivre mes plus grands moments d'émotion.

Sans Maryse, la vie de ma classe aurait été fade. C'est grâce à sa bonne humeur, ses excellentes idées, l'amour de son métier, sa présence permanente à mes côtés que durant toutes ces années la lumière a brillé !

Je souhaite à chaque enseignant de croiser le chemin d'une telle personnalité ! Je ne vends ni rêve ni imagination. Aucune fiction, pas l'ombre d'une exagération ! Je raconte là une rencontre-passion !

Fin juin, nous avions des surprises organisées sous forme de soirées (pique-nique à la plage, barbecue…) en passant par les invasions improbables de nuées de parents dans ma classe.

Un jour, où j'étais déjà montée dans les tours en les voyant balader dans la cour, avec mon regard noir, j'ai ouvert, énergiquement et vigoureusement la porte de ma classe, pour râler et leur faire remarquer « qu'il n'était pas l'heure ! »

J'adorais mes coups de théâtre !

Ils s'étaient en fait donné rendez-vous pour me faire une surprise. Ils sont entrés dans la classe, chaque enfant m'a remis une tige de lavande. Quelques parents ont prononcé de beaux discours simples et émouvants. Ils m'ont offert un beau présent, et sorti l'apéro ! Puis, m'ont conduite à la plage malgré moi… ou tout était dressé et préparé avec grand soin pour passer une soirée fort agréable ! Ce style de manifestations, en toute fin d'année, était devenu une espèce de rituel.

146

Mais ?
— Qui avait ouvert le portail ?
— Qui s'était procuré mes affaires de plage ?
— Qui avait prévenu mon mari que je rentrerais plus tard ?
Toujours Maryse !

C'est de cette école fantastique
Qu'il m'a fallu partir, car le transport de mon cartable
Devenait un acte fatigable
L'établissement était un peu trop loin
Ces enfants en mode « mini moi »
Refaire sans cesse les lacets
Beaucoup trop de temps me prenait
« Joe » me fatiguait
Sans parler de la version acoustique
Mon squatter avait rendu l'endroit bien moins magique !

> *Je lerais raoi que malgré votre départ nous*
> *restions en contact, vous avez énormément compté dans*
> *notre vie, et nous avons beaucoup de sympathie pour*
> *vous.*

C'est à cette époque que j'ai changé de lieu de travail, de manière à enseigner à des enfants plus âgés, donc plus autonomes. Sans le savoir, l'avenir me dirigeait vers cette fameuse « école du bonheur ».

Et avec les plus grands ?

Si vous voulez savoir tout ce qui se passe à l'intérieur de ma classe, alors écoutez mes paroles d'enseignante. Sur le visage de mes élèves, jamais je ne veux voir apparaître le moindre signe d'ennui. J'adore les observer avec leurs yeux grands écarquillés.

Par exemple, devant une leçon d'histoire comme celle de Clovis et l'épisode du vase de Soisson. Je joue Clovis inspectant ses troupes, exploitant tous les espaces de la classe, me mettant en mouvement, modulant ma voix, comme au théâtre finalement !

La fatigue me gagne, « Joe » se réveille, il voudrait bien, lui aussi, faire partie du scénario. Peu importe, je ne lui laisse pas le choix malgré ses tentatives pour prouver qu'il est bien là. Je le renvoie « dans ses vingt-deux », c'est moi qui ai le premier rôle ! Cependant, il insiste ! Il devient agaçant, « Joe » est de plus en plus pesant, il est de plus en plus présent.

Malgré tout, il faut que je reste concentrée sur mon discours, la totalité des savoirs à dispenser, des noms, des dates, sur mon jeu de scène, dans mon rôle d'actrice, celui de Clovis !

Voilà que je le sens, « Joe » a décidé, à ce moment-là, de réellement m'enquiquiner ! Tel un petit singe, il s'accroche autour de mon mollet gauche, qu'il maintient de ses quatre pattes. Sale bête, il fait peser tout son corps sur ma jambe qu'il a entrelacée insidieusement et serre de toutes ses forces. Du coup, lorsque je marche, je sens son poids. Alors, je fais un effort, chaussée de mes plus fabuleux mocassins, pour soulever davantage ma jambe, afin que mon public ne pense pas que Clovis était boiteux !

Cependant, comme d'habitude, je fais face. Devant moi se trouvent mes élèves, aux yeux grands ouverts, leur bouche béante. Les questions, les interrogations viennent de toutes parts. Ils veulent tout savoir dans les moindres détails… Nous jouons les prolongations et j'entreprends de répondre à leurs attentes.

« Joe » s'est calmé. Il me fiche la paix, il est beaucoup moins intéressé, de toute façon, il ne saurait pas répondre, car il est complètement stupide !

Voilà, une journée supplémentaire ! À la fin de ces heures additionnées, je suis épuisée.

Après les cours, j'ai encore une heure de kiné.

Pendant cette leçon d'histoire, par exemple…
Oui, j'ai pris le temps !
Oui, j'ai fait l'effort d'être dans l'instant présent !

Mes élèves ont vécu cette même expérience.
Pendant, longtemps, elle marquera leur conscience, en toute innocence !

Cependant, je vais devoir trouver de nouveaux stratagèmes, jouer à l'Indienne sur mon estrade. Toujours veiller à ce que les yeux de ces enfants soient remplis de lumière.

Le soir, il faut encore, après la journée, corriger les travaux de chacun. Souvent, vers 17 heures, mon coquin de colocataire me fatigue, il m'envahit l'esprit et m'empêche de réfléchir ou de me concentrer. C'est l'heure où mes lettres et mes mots se déforment, sous le poids du stylo, mes tracés sur le papier deviennent hiéroglyphes. Moi-même j'ai du mal à me relire, ce qui m'agace tout comme un supplice. Dire qu'à une époque, non lointaine, dans la marge de tous les cahiers, j'inscrivais de longs commentaires, de grands textes où j'apportais de nombreux conseils. Aujourd'hui, je me limite à des abréviations telles que « TB » ou « B » et « P », encore faut-il que ces quelques lettres soient lisibles ! L'écriture elle aussi est incluse dans la liste des misères que vous apporte « Joe ». Lorsque l'on est enseignante, c'est tout de même un comble ! Il ne sert à rien de s'énerver. Je ferme le cahier que j'avais commencé à corriger. Je fais le minimum, le reste attendra le lendemain. De bonnes paroles, mais les piles s'accumulent ! Comme l'eau renversée, cela n'est pas facile à ramasser !

C'est là, le plus beau métier du monde, celui ressemblant à une magnifique ronde. Il est vrai qu'il devient fatigant. Mais dans l'esprit de ces enfants, devenus plus tard adolescents, restera marquée cette maîtresse qui leur a inculqué toutes ces données et qu'ils ont avec plaisir écoutée. C'est pour cela que je me lève tous les matins, exercer cette profession avec passion.

Souvent, il m'arrive que d'anciens élèves parviennent à me contacter, de manière différente, sur les réseaux sociaux entre autres. Cette semaine, Rayan, par exemple, qui faisait partie d'une de mes classes, il y a une vingtaine d'années, a réussi à me retrouver. J'ai été surprise du discours qu'il m'a tenu et tant émue. Comme d'autres, il se souvenait de bien des choses. Pourtant, à cette époque, il avait à peine quatre ans !

Mais un jour, à un moment donné, il faudra engager une grande réflexion ! Il faut bien dire les choses, cela devient de plus en plus difficile.

> L'année scolaire se termine et notre cœur est rempli de gratitude.
> Merci pour votre lumière.
> Merci d'être montée dans le train de notre vie.
> Nous espérons que notre voyage ensemble puisse se poursuivre avec de nouvelles belles aventures.
> Dans tous les cas, vous êtes à tout jamais gravée dans notre cœur.
> Nous vous souhaitons un très bel été.

J'ai eu si souvent des enfants, des parents heureux… je songe ce soir finalement que tous ces gens, pour lesquels j'ai été utile, m'ont permis d'avoir une profession loin d'être futile. Les retours m'en rendent encore plus grandie et convaincue ! Ils ont fait naître en moi moral positif et attitude gagnante ! Sans le savoir autrefois, ils ne s'attendaient, probablement pas, à leur immense participation à la construction de ma force d'aujourd'hui ! Pour cela, je leur envoie mille mercis. Peut-être que ces parents ont vraiment vu, au travers de l'enseignante, à la fois une musicienne, une comédienne, une magicienne ? Cette idée me fait sourire.

Vivez votre vie d'une bonne et honorable façon. Ainsi, lorsque vous regarderez en arrière, vous en profiterez une deuxième fois.

Dalaï-Lama

Sur ma merveilleuse toile « *Chef-d'œuvre d'une vie* », chacun de ces beaux passages, tous ces fabuleux moments passés y figurent, sous un faisceau radieux d'une splendide luminosité ! En observant mon tableau, je m'aperçois de toute évidence que l'ensemble de ces multiples épisodes en font « ma petite œuvre d'art » !

(manuscrit manuscrit)

Mon souhait, aujourd'hui, est de vivre ma seconde adolescence !

Ainsi, je tente de me persuader que dans mon métier, j'ai déjà beaucoup donné ! J'ai eu la chance, tout au long de ma carrière, de croiser les chemins de gens honnêtes, agréables et serviables. Le reste de ma richesse, mon grand trésor, vient des enfants et des familles qui m'ont offert de l'or par leurs remerciements, leurs lettres et leur gentillesse.

Il arrive rarement que le bonheur tombe tout seul du ciel.
Il arrive rarement que les goûts aient les saveurs du miel.

départ . Si votre travail vous appelle ailleurs , d'autres parents et d'autres enfants profiteront de votre amabilité, de votre sympathie , de votre compétence et aussi de votre compréhension devant les problèmes de la vie courante. Ma situation en est un exemple éloquent,

Il arrive rarement que tous les paysages soient traversés par la voûte d'un bel arc-en-ciel…

Il faut y croire… Cultiver ses récoltes telle une abeille !

Cela a toujours été ma ligne de conduite, vous l'avez lue, il me reste simplement à poursuivre sur ce beau chemin que de mes propres mains, j'ai construit avec grand soin !

C'est justement mon projet, m'épanouir dans ma nouvelle existence , riche en saveurs de miel, riche en bonheurs tombés du ciel, riche en sérénité sous de beaux arcs-en-ciel !

Je sais que je sais peu !

Il y a des périodes de vie où l'on pense tout savoir. Oui, tout savoir sur tout. C'est en principe pour beaucoup d'entre nous, le plus bel âge, celui où les projets abondent, avec délice et souplesse, sur de vaporeux nuages qui, tels des anges, flottent au-dessus de nos idées, de nos têtes, pleines de beaux messages.

Le temps passe, et l'on s'aperçoit que certains cumulus, dans notre ciel, que l'on croyait immaculés par une blancheur vaporeuse, ont revêtu une allure un peu plus grisée. On devient plus raisonnable.

C'est alors que l'artiste avait déjà commencé à esquisser les différentes parties de mon tableau *« Chef-d'œuvre d'une vie »*. Il ne s'agissait que d'une simple et rapide ébauche, puisqu'il n'avait pas suffisamment d'éléments en sa possession pour entamer plus allègrement son œuvre. J'étais tellement plus jeune, lorsque je me suis rendue pour la première fois dans son atelier si particulier ! Il y avait, chez le peintre, quelques hésitations puisque j'ignorai bien des choses de mon futur. Même si, j'ai décidé d'être en grande partie l'actrice investie de ma vie, ou encore l'auteure de nombreux chapitres du roman de mon existence. Je n'ai pas connaissance de mon futur. Quelles parties de mon *« jeu de cartes du destin »,* vais-je remporter ?

Aujourd'hui, plus que jamais, sans cesse, je me retourne et je n'ai toujours pas saisi dans quel sens les histoires de ma vie tournent. Elles virevoltent, sans logique, au gré du vent qui tourbillonne en fonction de ses directions et de ses forces. D'ailleurs, lui non plus, il ne sait pas.

Lorsque j'ai traversé mes différentes affectations, mon poste de direction, ma classe en maternelle, mon « école du bonheur » à chaque fois, je savais, du moins je pensais savoir, que dans chacune d'elles, je resterais. Pendant toutes ces années, combien de fois me suis-je dit « tu sais… ». Plus le temps a accompagné les épisodes de ma vie et plus, il était alors sage de songer que de toute évidence : « Non ! Plus tu penses savoir, c'est incroyable, en fait, moins tu sais ! »

À bien y réfléchir, il y a tellement d'événements traversant bien des versants et passant sous quelques torrents. Ce sont ces moments qui ont décidé de tournoyer au gré de leurs vents en mouvements plus ou moins puissants. Oui, ce sont ces passages de nos vies qui dessinent, à notre place, la plupart de nos plans, tels des architectes du temps !

Dans la maison du lac, lorsque nous finissions, avec mes parents de ranger les cartons, j'avais dit à cet instant : « c'est la dernière villa, avant la maison de retraite ! » J'étais si certaine de moi !

C'est curieux, et pourtant si sérieux, tous les êtres qui peuplent la terre et ses lieux sont persuadés, au fond d'eux, à chaque âge, si différents et précieux tout savoir sur leur avenir ambitieux ! Tous ces gens, finalement, inéluctablement, assurément, à un moment, ont pensé fortement…

« La conclusion est fatale, inévitable ! Non, nous ne savions pas ! »

Oh ! J'oubliais ! si... si... si... je sais... je sais... Oui, je sais ! Quelle drôle d'idée... si la mémoire, en plus, se met à flancher, alors que bien peu de choses l'on sait. Il faut vite les noter !

Je sais que je sais peu et au final ce n'est pas plus mal ! Cela me remplit d'humilité et de sagesse. De par ce fait, alors, j'apprends, je grandis, je progresse. Sans cesse, je vais de l'avant avec allégresse, je cherche à en savoir davantage, et ce à tout âge. J'enrichis mes connaissances et ma réflexion ainsi je poursuis mon ascension avec philosophie, grande détermination et obstination.

C'est toujours dans l'intention d'alimenter ma source d'un jour pour qu'elle rime avec toujours, celle qui depuis s'est transformée en un petit ruisseau dont j'ai décidé de développer les propos contenus dans l'ensemble de ces mots.

Résonne en moi « carpe diem », étincelant, tel le plus beau diadème de ma vie. Bijou précieux posé sur ma tête, au port des plus appliqué, tentant de s'approcher du majestueux. Je l'observe avec ses pierres aux éclats, plus ou moins, radieux. Je puise mon énergie dans le cœur de celles qui me renvoient la plus grande des puretés dans un faisceau de lumière. À côté, il y en a des plus petites, plus ternes. Moins bien façonnées par l'artiste. Je vais reprendre le travail de l'orfèvre de ma vie. Donner à ces pierres un éclat nulle part vu, déjà. J'avance dans mon savoir parce que désormais, je peux dire que ça, je le sais, oui, parce que je l'ai décidé et que mon travail de bijoutier est bien entamé.

À présent, après avoir bien réfléchi… En effet, certaines choses, je sais. Si je le sais, c'est parce que je l'ai appris.

Je sais qu'on ne peut pas prévoir l'avenir. Je sais que peu importe le contenu des histoires qui façonnent ma vie, c'est la manière dont je les vis qui en fait des réalités lumineuses. Je sais donc que c'est à moi de créer clarté, bonheur et légèreté. Je sais que la fatalité triomphe dès que l'on croit en elle, il est donc primordial de l'ignorer ! Je sais que le mot « jamais » n'existe pas. Je sais que je ne crains pas et que j'ose.

Désormais, chaussée, avec la plus grande fierté de mes mocassins en daim, c'est avec force qu'ils me feront aller de l'avant. Ainsi, je leur ferai, sans cesse, l'honneur d'accompagner, avec élégance, mes pas.

Je sais surtout que les choses ne paraissent impossibles que si on ne les a pas tentées.

Voilà ce que je sais !

M'occuper de moi !

Un bouquet

C'est un beau bouquet confectionné
Avec de jolies fleurs
Une coquette composition à regarder

Que vous poserez sur une belle armoire
Et tous les jours, vous le scruterez, vous l'admirerez
Quelques fois, les couleurs perdront de leur douceur
Quelques fois, vous n'en sentirez plus l'envolée des odeurs
Mais le reste du temps, il vous fera voir le bon côté du miroir.

En fait, il faut se rendre à l'évidence ! Il est nécessaire, par divers moyens, « de prendre grand soin de moi ! »

Comme je le disais, je suis entourée par la garrigue. Quel bonheur de pouvoir profiter de ces lieux, y soigner mon moral et ralentir le mal ! Oui, le repousser sans cesse, l'éloigner !

Mon colocataire corporel, celui qui s'est incrusté sans rien demander, est indélogeable malgré l'intervention de tous les huissiers !

« Mots clés » essentiels pour mieux se porter !

Je vais énumérer une liste de « mots clés », car si j'en fais bon usage, ils m'aideront à ouvrir les portes derrière lesquelles je trouverai de nombreux bienfaits !

Une clé sert aussi, inversement, à fermer. Cela est parfait, car ces « mots clés » vont claquer des portes à la pleine face de « Joe ! »

« Mots clés » :

Plaisir/Bonheur

Émotion

Sommeil/Repos

Effort (constant et permanent)

Altruisme

Moment présent

Mental/Pensée positive

Sérénité/Sourire

Motivation/Rigueur

Volonté/Ténacité

Ainsi, au gré des lignes, les « mots clés » vont apparaître et dévoiler leur bonne utilisation.

« Joe » apporte stress et déprime.
Ceci est dû au manque de dopamine.
Solutions, si mauvaise mine…

Avec ces mots, savoir jongler pour mieux aller !

Au passage, en profiter
Pour « Joe » placarder
Si fort, dans la cloison
Même, si elle est faite de béton
Qu'on puisse voir de l'horizon
Le tour de ses formes sans définition

Il est possible d'aller plus loin encore
Et de taper plus fort !

Apprendre à repousser l'ennemi dans ses tranchées,
Et faire en sorte qu'il y soit, très longtemps, bloqué !

Souvenez-vous, j'explique, dans un autre chapitre qu'il faut, dès que cela est possible, le malmener, le maltraiter, l'abaisser, le prendre pour ce qu'il est : un bouffon !

— Je renforce mon moral.
— J'ai le dessus sur lui.
— Je développe mes pensées positives.

Malgré le manque de dopamine
Il y a des solutions pour arborer un visage plus radieux...

C'est votre cerveau qui détermine !
Vous décidez, aussi, que vos neurones se portent mieux !

Tous les psychologues ou les psychiatres expliqueraient que la part du mental est d'une importance réelle et primordiale !
Renforcement moral et pensées positives sont essentiels pour stabiliser de nombreuses pathologies !

C'est d'ailleurs comme dans le sport ; le mental de l'athlète est nécessaire pour atteindre sa meilleure performance. Il faut régulièrement le faire travailler et l'entraîner. J'ai développé dans les pages précédentes certaines choses, des actes, des pensées, afin d'agir positivement.

Sans détour, je vous invite à replonger dans ces lignes, vous imprégner de la liste, non exhaustive, des choses qui boostent le mental. Savourer les petits plaisirs de la vie, dont l'accumulation créée par le bonheur.

Oui, vous l'aurez compris, intimement ressenti dans cette histoire qui est la mienne, celle de Catalina, mon métier d'enseignante est de la plus haute importance. Dans ce récit, celui-ci tient un rôle majeur. Une place honorifique, sans ce vécu qui m'a enveloppée pendant tant d'années, je n'aurais sûrement pas été construite de la même manière, pour affronter celui qui a fait tourner la pièce côté face.

La dopamine est connue pour être une hormone du bonheur, du plaisir. Donc, si « Joe » induit un manque de dopamine, c'est à moi de retrouver, créer et multiplier tous ces moments de plaisir. J'exerce, sans cesse, l'effort d'afficher mon « sourire intérieur ». Je me souviens que le sourire que j'envoie me revient. Je sais désormais que procurer du bien aux autres, c'est avant tout se procurer du bien à soi-même. Je réalise donc l'effort constant d'être dans l'attitude d'une volonté positive ! Ainsi, j'en retire les bienfaits sur mon moral et je suis plus sereine !

La malle

Et les quelques fois où, ma foi, il vous manquera la foi, alors souvenez-vous : « Il était une fois… », comme les premiers mots d'un conte.

Vous trouverez le début du récit dans vos malles bien remplies. Dès que vous ouvrirez votre coffre, surgira alors un épisode, un objet, une histoire vécue… Une promesse, un objectif, voire des mocassins rouges particuliers et si précieux. Quelque chose dont vous vous souvenez avec plaisir, car vous l'avez imprimé dans votre esprit. Oui ! Marqué au fer rouge, afin d'y avoir recours en cas de besoin, dans des moments caractérisés par une espèce de pénibilité.

Les jours où vous aurez plus de difficultés à vous dresser face à l'adversité ; alors, immédiatement, piochez dans vos trésors ! La ressource personnelle que vous en retirerez, vous aidera dans votre effort à surmonter la difficulté, quelle qu'en soit la nature. Puis, votre port de tête va se redresser, puisque vous serez fier de votre réussite !

Votre cerveau vous enverra un message de plaisir et de satisfaction. Ce sentiment de bonheur vous apportera de la joie et de l'envie. En résumé, soyez actif, jamais ne subissez ! Il est certain, cela dépend aussi de ce que j'appellerai le « caractère » et la « vélocité » du dénommé « Joe » de chacun. Certains d'entre eux ayant une évolution plus rapide que d'autres.

La plus vraie des sagesses est une détermination ferme.

Napoléon Bonaparte

Surtout, je fuis, dès que je le peux, toute source de stress et d'obligation !

Évacuer le stress, cela se travaille comme la confection d'une belle tresse. Plutôt difficile au début, comme coiffer des cheveux drus. Puis entrelacer une à une les différentes nattes jusqu'aux extrémités de celles-ci afin de finir, avec minutie, ce long travail entrepris.

Je compare cette nouvelle attitude, se détacher de toutes sources de stress, à ce minutieux exercice de coiffure qui, bien exécuté, est révélateur d'un savoir-faire. Il est évident que pour parvenir à ce changement de situation, il y a forcément de bonnes résolutions à appliquer. Puis viendront rapidement leurs répercussions sur les habitudes de vie. Cependant, accomplir des marques d'altruisme ne se glisse pas dans ma liste « obligations/stress. »

En résumé, apprendre à manier la problématique, la détourner, la presser, pour en sortir un bon jus de positivisme. C'est tout à fait possible, j'en suis la preuve visible. Je le crie à haute et forte voix, je m'octroie des moments à moi. Au final, c'est formidable, extraordinaire et confortable ! Par exemple, ne pas se sentir obligée, de faire semblant d'être soi pendant une soirée à laquelle je n'avais nullement l'envie de participer.

J'écoute mon corps, mon esprit, mes désirs. Je suis attentive à ma personne avec estime et bienveillance car, désormais, nous sommes deux. Il y a essentiellement deux cas de figure.

Le premier est celui où nous allons être en désaccord. Il a décidé de faire la moue, mais moi, malgré sa mauvaise frimousse, je ne partage pas son avis pour un sou. Je m'étire, je respire en pleine conscience. Je prends le temps et la patience… Carpe diem. Lorsque je suis prête, je fais selon mes souhaits.

Le second est que je suis du même avis que « Joe ». Si nous sommes tous deux d'accord, alors, je reste blottie au chaud dans mon confortable cocon avec un plateau-repas sympathique. J'enflamme quelques mèches de bougies, afin de me plonger dans une belle ambiance de détente.

J'apprécie par moment de fermer mes vitres, car je ressens le besoin, parfois, de me retrouver avec moi-même. Ce qui me permet de rassembler les morceaux du puzzle de mon corps et de mes esprits éparpillés dans l'espace.

Cette pause me relance, rechargée de force et d'audace, pour lutter contre celui que j'adore voir blême !

D'abord moi, et surtout moi… Quoiqu'il en soit, j'ai une nouvelle devise : « Obligation zéro, contraintes envolées, je fais ce qu'il me plaît et c'est parfait ! »

Là où se trouve une volonté, il existe un chemin.

Wilson Churchill

Ainsi, on mesure l'importance de la réduction du stress pour « aller mieux ». Travailler sur des mises en situation qui rendent sereine est un effort primordial qui doit se faire dans la continuité.

La sophrologie, la méditation, la concentration sur la respiration, le yoga, le Qi Cong et bien d'autres choses, encore, peuvent aider à travailler sur cet état de sérénité. Toujours avoir à l'esprit que tout doit se faire dans un effort constant et permanent !

Trois mois en centre de rééducation

Souvenez-vous au début de mon propos, je vous parle du long et sombre couloir baptisé « angoisses majeures », je vous décris dans quel état je me suis vue transformée.

À présent, avec analyse et recul, je sais pourquoi cette transformation fulgurante a fait partie de mon histoire. C'est entre autres parce que « Joe » se prélasse, s'agrandit, prend beaucoup plus de place, car il adore les trois mots du cocktail explosif : « stress », « immense fatigue », « insomnies ». Lors de cette rééducation, j'ai appris une multitude de choses très intéressantes. Cela a été pour moi une occasion unique d'emmagasiner un réservoir de connaissances, de savoir, de savoir-faire, d'exercices, de précieux conseils.

— Exercices physiques spécifiques
— Étirements
— Exercices posturaux
— Ergothérapie
— Exercices en milieu aquatique
— Séances de sophrologie
— Exercices d'équilibre…

Procéder de manière « permanente ! », car il faut de la « régularité » !

Et cette rigueur doit se faire dans le bonheur.

Tous les hommes pensent que le bonheur est au sommet de la montagne alors qu'il est dans l'art de la gravir.

Confucius

Ce programme,

On s'en occupe au quotidien.
On le nourrit par des petits soins
Qui vous font du bien et aller loin
Alors, je prends les choses en main.

Je me dorlote, je me trouve des habitudes
Des habitudes sans lassitude.

Je multiplie mes loisirs, et mes beaux souvenirs
Pour continuer, sans cesse, de rire !

Je me crée donc un journal de bord, qui sera motivateur, sur papier ou ordinateur. Par exemple, j'y note la date, j'y inclus une photo prise lors de ma marche (un bel arbre, une fleur, un canard, un paysage...).

Il peut s'agir d'une pensée, d'une réflexion que vous avez envie de vite noter, d'une météo particulière, etc. Tout en bas de la page, pensez à inscrire le nombre de vos pas. Ceux calculés par votre podomètre, devenu indispensable !

Voilà comment, sur un beau cahier, je note mon programme plaisir.

L'activité physique

Les éléments qui vont suivre me conviennent personnellement. Vous y découvrirez quelques petits conseils puisqu'ils font partie de ma réalité. Évidemment, à chacun de trouver ses activités et leur fréquence. C'est à titre d'exemples qu'ils sont évoqués. Cependant, les bienfaits sont réellement présents !

L'activité physique régulière permet de travailler sa force musculaire, son endurance, sa souplesse, ses amplitudes articulaires, son équilibre ou encore sa coordination.

L'exercice physique ralentit la progression de « Joe ». Personnellement, j'en suis persuadée car je le vis et le ressens ! Pour constater des résultats, il faut faire du sport régulièrement. Par exemple, je complète la marche rapide avec la marche longue.

À cela, j'ajoute le Qi Cong deux fois par semaine, le yoga, et de la natation dès que possible. Voilà ma « sélection plaisir » adaptée à mes possibilités. Pourquoi ? Parce que, par exemple, cette année j'avais la volonté de me renforcer davantage musculairement. J'ai donc décidé de pratiquer le pilates. J'ai fait une seule séance d'essai ! Un seul cours, pour me retrouver en vrac ! Me dire oula, non cette activité ne te convient pas ! Mauvais positionnement des cervicales, des épaules… Du coup, en une heure, j'ai obtenu comme résultat, des contractures importantes, au niveau des trapèzes. Comme d'habitude, il faudra plusieurs semaines pour les faire disparaître. Conclusion évidente, le pilates ce n'est pas pour moi !

Quoiqu'il en soit, souvenez-vous d'une chose primordiale : « écouter son corps ! » Cela signifie aussi s'adapter et dans quelques cas être obligé de changer certaines pratiques. J'ai abandonné la piscine, l'hiver, car dans les vestiaires, entre autres, les changements de température et le froid me provoquaient des tensions musculaires assez longues à faire disparaître. Donc, la piscine c'est bien l'été, ou alors, profiter de la plage. Pendant un certain temps, mes kinés me disaient qu'il y avait là une solution. En sortant du bassin, directement me rendre au sauna pour me réchauffer définitivement. Certes, l'idée était bonne. Mais malheureusement, avec la covid, les saunas ont toujours été fermés, contrairement aux piscines qui pendant longtemps sont restées ouvertes.

Toujours dans la série des choses que je nomme « choses adaptées » Je ne vous parle même pas des stations de ski et des marches dans la neige, passées elles aussi, aux oubliettes. Mon « Joe » n'aime pas du tout le froid !

+Marcher
C'est la base !

C'est une activité très riche, pour bien des choses ! Plutôt devrais-je dire sur « les marches » car je vais aborder trois types de marches différentes.

Tout d'abord, la marche est une activité physique qui fait travailler l'ensemble du corps, dans bien des domaines.

— Dans le domaine musculaire, puisqu'elle tonifie avant tout, assurément, les muscles des jambes.

— Dans le domaine circulatoire, elle facilite le retour veineux.

— Dans le domaine articulaire, elle favorise l'entretien de celles-ci.

— Dans le domaine concernant l'équilibre, elle le maintient efficacement.

— Pour l'ensemble du corps, elle participe au gainage.

Elle a des vertus largement reconnues, aujourd'hui, pour une dépense énergétique, mais aussi pour diminuer le stress, accroître la qualité du sommeil.

De manière générale, marcher c'est bon pour la santé et de manière plus particulière pour moi marcher est essentiel ! Dans l'instant présent, je profite de chacun de mes pas.

Le ciel n'aide jamais l'homme qui ne veut pas s'aider lui-même.

Sophocle

En fonction de la forme du moment, j'alterne les marches lentes et les marches rapides. Il existe un autre type de marche nécessitant des accessoires, les bâtons nordiques. Cette marche va faire travailler davantage les muscles au niveau de l'ensemble du corps puisque les pectoraux, les muscles des bras et du dos sont tous sollicités. De plus, le fait de marcher avec les bâtons permet de travailler la coordination ! Mais attention à la hauteur de vos bâtons !

Cela a une importance de toute ampleur ! Un jour, à l'époque où nous habitions la maison du lac, j'ai rencontré mon kiné qui m'ayant vu m'a dit : « Ce soir, venez au cabinet, avec vos bâtons ! »

Puis, il m'a expliqué qu'ils étaient trop hauts, du coup, ils étaient initiateurs de douleurs au niveau des muscles des épaules et ne me procuraient pas davantage au final ! Il me les a bien réglés, en ayant un discours très pédagogique.

De plus, la marche nordique nous fait allonger le pas, à l'aide des bâtons, que l'on propulse à l'avant. Pour ma part, je pratique, essentiellement, les marches plutôt longues et, pendant longtemps, j'ai parcouru bien des kilomètres en marche nordique.

Cependant, j'ai analysé une chose puisque je l'ai vécue ! Il y a une espèce d'impact qui se répercute au niveau des articulations et donc des muscles des épaules et du dos. Ce qui m'a occasionné de nouvelles contractions musculaires, douleurs et ma toute première tendinite à l'épaule ! Là encore, j'ai écouté mon corps, je ne pratique plus de marche nordique !

Il m'arrive même, à certains instants, de courir à petites foulées sur des distances raisonnables (pour ne pas dire très courtes). Ainsi, j'alterne marche et course très modérée.

Il est bien évidemment primordial d'être bien chaussé. Il est plus qu'essentiel de boire énormément, pour tout être humain, et plus particulièrement pour moi, afin d'éviter crampes et contractions !

« Marcher », comme je le disais, est une évidence, c'est primordial, c'est une priorité pour bien des choses. Mais usez aussi du plaisir de marcher à plusieurs.

L'idéal, en ce qui me concerne, est encore ce que nous avons fait, ce samedi, avec mon mari. Nous sommes allés dans le secteur de la maison du lac. Nous avons fait, tous les deux, une grande promenade au bord de cette jolie étendue d'eau.

Marcher avec son conjoint, ou quelqu'un que l'on connaît bien, est très intéressant. Avec mon mari, il faut que je fournisse un effort supplémentaire pour ne pas être à la traîne. Je me comporte comme une tête de mule et je me refuse à être derrière lui. Il me connaît, il agit en prenant soin que nous avancions à bonne cadence.

C'est tellement agréable de marcher à deux… Parce que l'on admire le paysage ensemble et échangeons quelques remarques dans notre conversation. C'est aussi un moment de partage et d'agréables discussions cela nous fait pratiquer des choses ensemble, c'est extrêmement plaisant !

Les étirements sont, quoi qu'il en soit, à faire quotidiennement. Cependant, les jours où je pratique l'exercice de la marche, il ne faut pas s'étirer aussitôt ! Non, surtout pas !

Se détendre, se doucher, faire d'autres activités et réserver les étirements pour la soirée !

Préférez une douche tiède et, personnellement, vu mon problème de retour veineux, je passe de l'eau glacée pendant un long moment, mais uniquement sur les jambes.

+ La rééducation chez un kinésithérapeute est essentielle.

Le nombre de séances ainsi que leur fréquence changent au fil du temps et en fonction de mes besoins du moment.

Ainsi, cette année, je me rends à quatre séances afin de traiter mon mal de dos devenu chronique et de soigner les tendinites (manipulations me paraissant parfois interminables) !

Très efficace ! Bilan de ce début juillet : mes tendinites ont toutes disparu ! Mon mal de dos a trépassé ! Merci les filles ! Brève parenthèse afin de souligner la chance d'avoir deux kinés à l'écoute, consciencieuses, professionnelles et tellement sympathiques.

+ Des passages réguliers chez l'ostéopathe sont fortement indiqués.

Tous les six mois, cela me procure un bien-être considérable. En sortant de son cabinet, je passe de poupée de cire à marionnette de chiffon. Cela dure un certain temps…

Il est préférable d'éviter de s'y rendre plus souvent. Sinon le corps ne se défend plus seul avec les exercices réguliers qu'il faut moi-même mener !

« Si l'on vous annonce la nécessité de multiplier vos consultations, vous serez tombée sur un charlatan attiré par l'argent » m'a attesté mon ostéopathe.

+ S'occuper de soi.

Je m'occupe de moi et de mon image, je me dorlote !

Je mets en place « des rituels plaisirs » qui en même temps me font travailler.

— J'applique des crèmes de soin en jouant sur l'amplitude des mouvements, la coordination de mes bras.

— Même chose sur le visage et j'ajoute des exercices articulatoires et de tonification musculaire faciale.

— Je fais mes manucures et j'en profite pour pratiquer tous les exercices concernant les mains, les poignets, les doigts. Surtout ne pas hésiter à chanter dès que je le peux.

+ Je pratique en club le Qi Cong.

J'en retire un tel bien-être que dès l'année prochaine je participerai à deux cours et j'adopterai une pratique personnelle et régulière, chez moi.

Le Qi Cong est une gymnastique douce, d'origine chinoise accessible à tous. Les séances commencent toujours par des automassages et des exercices de visualisation. Essentiellement basé sur le contrôle d'une respiration synchronisée avec des gestes lents. La gestuelle qui caractérise le Qi Cong, les enchaînements, les postures permettent progressivement d'accomplir des mouvements de plus en plus amples, d'améliorer la souplesse puisque les étirements sont nombreux.

Les positions statiques, qui en demeurent la base, représentent un moyen très efficace de fortifier, d'améliorer le gainage et le renforcement musculaire.

La verticalité facilite le relâchement du bassin, des épaules, de la poitrine et l'ouverture du plexus.

Sa pratique permet d'être davantage conscient de sa posture, elle délit et assouplit les muscles ce qui diminue les douleurs dorsales, articulaires et travaille l'équilibre du fait entre autres que, les exercices s'effectuent dans des positions immobiles devant être tenues longuement.

De nombreux enchaînements visent à réguler la position du corps : une attitude droite afin d'éviter de se courber.

Il favorise aussi la concentration de la mémorisation, la détente et améliore la qualité du sommeil.

Pour les Chinois, cette pratique agit sur ce qu'ils appellent « le deuxième cerveau », le système nerveux de l'intestin, qui joue un rôle central dans la régulation de neuromédiateurs telle la dopamine !

Il est reconnu pour réduire les symptômes associés aux problématiques que nous cause « Joe »

Quoi qu'il en soit…

Faire toujours de son mieux ! Votre « mieux » change d'instant en instant, quelles que soient les circonstances : faites simplement de votre mieux et vous éviterez de vous juger de vous culpabiliser et d'avoir des regrets.

Toltèques

+ Vivre pour soi à son rythme, se soustraire de toute obligation. Pour être plus exacte, ce qui est qualifié « d'obligation » sera distinct et personnel à chacun d'entre nous.

+ Pratique quotidienne d'étirements : c'est d'une importance sans mesure !

+ Se reposer, s'aménager et respecter des temps de repos, notamment dans l'après-midi.

+ Il est également recommandé de respecter vos besoins de sommeil, c'est-à-dire de dormir un minimum de 6 heures par nuit.

+ Conseils divers et orthopédie

Il peut être important de s'interroger sur l'éventuelle possibilité de porter des semelles orthopédiques. J'en ai parlé avec mon ostéopathe, dans un premier temps. Aux termes de cette consultation, il m'a expliqué pourquoi cela me serait profitable !

L'examen a démontré que par rapport à ma posture certains points de réflexologie plantaire seraient appropriés à ma situation. Avec le temps, la spécificité des semelles, qui vous sont spécialement conçues, vous permet d'agir sur l'ensemble de votre posture. Cela constitue une carte supplémentaire pour aller mieux.

Aujourd'hui, « je n'ai pas envie »

Ce n'est pas parce que les choses sont difficiles que nous n'osons pas les faire, c'est parce que nous n'osons pas les faire qu'elles sont difficiles.

Sénèque

Il est évident, car nous sommes humains, certains jours, pour diverses raisons, d'avoir un manque d'entrain !

Dans un premier temps, faire une petite analyse et chercher à comprendre, à cerner, la source du manque de motivation.

Par exemple, en cette période de grosse canicule, il est normal de ne pas avoir envie d'aller marcher. Ce qui entraînerait même un gros état de fatigue. Cela serait sottise !

Alors, je remplace par d'autres activités. Pour changer un peu, cet été, j'ai opté pour la chaîne « Elle » sur YouTube. À l'aide d'un simple cordon, mon mari a branché mon ordinateur sur l'écran du téléviseur. En mode « grand écran », c'est beaucoup plus confortable !

Puis, j'ai visionné plusieurs séquences d'étirements et de yoga et j'en ai fait une petite sélection.

Puisqu'il faut faire des choses qui nous plaisent et des choses qu'il nous est possible de faire.

J'ai vu des exercices de yoga où la contorsion ne serait pas agréable pour moi, voire, peut-être néfaste.

Ne pas oublier « d'écouter son corps » et de pratiquer les choses avant d'arriver à la douleur, même infime !

Je ne suis pas en train de préparer les prochains Jeux Olympiques de gymnastiques représentant la Russie ! Je suis sur une régularité qui n'exclut pas l'effort, mais je demeure en mode « confort » !

Puis, pour éviter les erreurs qui pourraient être la source de nouvelles douleurs, avoir la lueur d'étudier l'affaire en profondeur.

Je m'explique : à l'instant où vous serez en bonne posture de « bougie » ou du « chien tête en bas » n'essayez pas de vous contorsionner. Déformation néfaste accomplie dans le but de comprendre ce que la voix explique pour la prochaine position. Vous perdriez sur les avantages produits dans votre exercice.

C'est pour cela qu'il faut bien visionner et analyser le contenu de votre sélection.

Puis, répéter de nombreuses fois, en les alternant, sur plusieurs semaines, deux à quatre cours dont le contenu vous aura plu. Ainsi, au fil du temps, vous prendrez beaucoup plus de plaisir.

Car plutôt que d'étudier et réfléchir au bon positionnement du pied dans un mouvement, stade que vous aurez dépassé. Vous performerez davantage sur les effets attendus, par exemple, dans certaines positions de yoga. Ainsi, dans la répétition, votre aisance et donc votre plaisir grandiront !

Bien sûr, à côté il y a aussi les exercices que votre kiné vous aura recommandés, en fonction du moment. Par exemple, moi cet été, tendinites à l'épaule et au coude... donc exercices spécifiques à faire tous les jours.

Ces exercices sont à pratiquer quotidiennement si l'on est sage ! Souvenez-vous de la liste des « mots clés » !

Ensuite, il est raisonnable d'ajouter autre chose à ce programme, par exemple, une séance de Mézières (étirements particuliers, méthode découverte et apprise avec rigueur, lors de mon séjour de rééducation en neurologie).

Comme je l'explique plus haut, par grosse chaleur ou intempérie, ayez en tête d'augmenter votre temps de travail avec un cours sur le téléviseur.

Par contre, dès que les températures seront plus supportables recommencer de manière très régulière, la pratique de la marche. Lorsque cette pratique sera à nouveau au programme, il faudra vous garder un petit temps d'étirement, en fin de journée.

Aujourd'hui, par exemple, je n'ai pas envie !

Pour commencer ce matin, il faut bien avouer que j'ai pris une grosse suée. Puisque j'ai passé l'aspirateur dans tout l'appartement et fait les terrasses.

Ça c'est dit, mais cela ne m'empêche pas de faire mon analyse. Alors je procède à ma réflexion : sur la longue liste des « parce que » ? En voici seulement quelques exemples.

— Parce qu'il fait trop chaud ?

— Parce qu'il y en a marre de faire encore la même chose ?

— Parce que tu as d'autres priorités dans la journée ?

— Parce que tu as mal au dos ?

— Parce que tu as trop forcé hier et que tu as des courbatures ?

— Parce que tu as mal dormi ?

Vous allez forcément trouver un « *parce que* », voire plusieurs, correspondant à votre manque de motivation.

Pour moi, aujourd'hui, après un peu de questionnement, il y en a trois :
— Je suis fatiguée, car je n'ai pas très bien dormi.
— Même à l'intérieur, j'ai très chaud.
— J'ai mal au dos.
— L'analyse étant faite, je décide de m'adapter !

— Dans un premier temps, m'allonger et caler mon dos, prendre un moment pour me reposer.
— Puis, lorsque je me sentirai un peu plus en forme, je passerai par la salle de bain pour prendre une douche fraîche.
— Vu que j'ai mal au dos, j'y remédierai en fin de séance ! Avant tout, je jette un coup d'œil sur ma montre. Ceci me permet de me donner un temps minimum d'une heure.
— Donc aujourd'hui, je débute par la base, c'est-à-dire les exercices recommandés par le kiné ! Ils sont inévitables. Ils sont indispensables.

Je me fixe, en plus, comme objectif de prendre quelques photos pour être certaine en lui montrant que la hauteur de ma commode et que la grosseur du ballon correspondent au but fixé. Puis étirements Mézières à 90° contre un mur. Très bon aussi, pour le retour veineux et vu qu'il fait chaud, c'est fort bien !
— Pour finir en douceur, mais « pour faire » quand même, aujourd'hui est un jour pour sortir la cacahouète (vente sur Internet) ce gros ballon bleu en forme du fameux fruit à coque. Objet sur lequel l'on pose, de manière savante, son dos et que l'on fait rouler, au fur et à mesure, pour basculer, d'avant en arrière, ce qui lentement va étirer celui-ci.

Et voilà, j'ai fixé mon programme tout en écoutant mon corps. Mais, programme il y a, et il doit être réalisé !

Chez vous il faut un minimum de matériel. Voici le mien, toujours à titre de suggestion.
— Un tapis de sol
— Un ballon de Pilates ou une cacahouète
— Deux ou trois ballons ordinaires de tailles différentes, dont un ballon lesté
— Des balles, une balle molle en mousse, une balle normale et une balle lestée
— Deux élastiques différents (un étroit et un bien large)
— Des poids de 50 grammes et 1 kg qui se scratchent aux chevilles ou encore aux poignées.

À présent, je suis aussi détendue que mon chat est étiré, de tout son long, sur mon lit !

Donc, lorsque je vous dis régularité, plaisir, notion de l'effort, ou encore moral positif, voilà le tour est joué ! Je suis parée à passer une bonne nuit, le bien-être étant vraiment présent.

Ils peuvent par ce qu'ils croient pouvoir
... donc, ils font !

Virgile

Il y a les jours où vous ne pourrez pas !

Je l'ai évoqué, dans le troisième cas de figure concernant les humeurs de « Joe ». Dès le matin, vous sentez que le temps sera incertain !

Vous vous dites « Oups ! Journée catastrophique dans ma vision télescopique ».

Inutile de lutter ! Se rendre à l'évidence, cela va être un jour à passer au lit, c'est certain ! Autant afficher calme et philosophie ! Simplement, me reposer en profitant du décor doré de la parure de ma literie.

Il y en a « un » qui aime bien, prendre plus de place et s'étendre… C'est-à-dire, du second rôle, passer au premier ! Lui, il adore ces journées, car de mauvaise bête, il passe à la vedette !

C'est simple, lorsque vous vous levez, vous avez l'impression que des Boeings ont transpercé votre enveloppe corporelle. Puis, vous vous rendez à la salle de bain et, sans trop insister, vous regardez votre tête : c'est certain, vous ne risquez pas d'être la vedette ! Oui, puisque personne ne va vous reconnaître ! Le miroir reflète un très mauvais clonage de votre visage. Même les plus mauvais, en chirurgie esthétique, ne font pas autant de ravages !

Pendant des heures, vous allez être en « mode à l'envers », la tête en bas les pieds en l'air.

Vous êtes en mode « Robocop » ou « passe-lacets » ; c'est-à-dire, encore plus raide que la justice ! Votre tension est dans les baskets.

Mais ce visage comme un puzzle de mauvais assemblage, bien loin de la réalité de votre personnalité, est le fruit, en amont, d'une bonne raison. En ce moment, je sais pourquoi !

Petit retour en arrière où je disais que le sommeil était très important. Certaines nuits, vous êtes attaqué par des somnambules. Ils vous infligent un manque de sommeil important, voilà, le résultat est flagrant ! De bon matin, vous pouvez vous inscrire sur la « liste des abonnés absents ».

Actuellement, je connais la raison de mes nuits troublées. Des contrariétés se réjouissant de prendre l'ampleur d'une piètre laideur. Une de taille m'a fait ruminer toute la nuit ! Pour être plus exacte, j'accumule, et dans le noir, je fais la libellule. Pourtant, il n'y a pas plusieurs jours, se succédant de pleine lune, à en regarder n'importe quel calendrier ?

Hier, première place sur le podium pour mon somnambule ! Il faut dire qu'il suit un entraînement intensif ces derniers temps nocturnes ! Grand vainqueur donc : nuit blanche totale ! Pourquoi ? Parce que j'arrive à la « semaine finale » !

Celle à laquelle je me prépare, depuis plus d'un an, rédigeant toutes ces pages, en guise de thérapie ! Et chaque chose arrive si vite, j'atteins le bout de ma route, et après le dernier virage serré, il va falloir rendre mes clés !

Ultime mission dans mon ascension, me rendre en toute discrétion sur le lieu de ma profession. Prendre mes précautions, afin de ne croiser personne ! Ainsi, éviter toute discussion, explication et conversation. Celles-ci conduiraient inévitablement aux mêmes apparitions, au niveau des organes de la vision, qu'après avoir épluché un kilo d'oignons !

Dans la classe verte, le 3 juillet pour la dernière fois, j'ai foulé l'estrade. Il ne me reste plus qu'à rendre officiellement mon trousseau !

Voilà, ce petit écrit me servira encore de thérapie, car à l'heure où je rédige, il soulagera quelque peu mon esprit et me permettra, enfin je l'espère, une meilleure nuit !

Dans ma dernière capitainerie, rencontrer,
M. Danube, le plus aimable, des douaniers
M'alléger de mes clés !

Le dernier soubresaut de mes classes et leurs beaux bateaux.
C'est pour cela que mes yeux ne se sont pas clos !
Toute la nuit, je n'ai que bataillé dans l'eau
Car demain, je quitte mon port et mes petits matelots !

Cependant, je me projette sur le bon côté du rivage. Une nouvelle partie s'ouvre à moi avec *« les cartes du destin »* ! Maintenant, vous les connaissez bien ! Une fois que j'aurai laissé mes clés, s'ouvrira à moi une toute nouvelle liberté. Un temps rempli d'actions à mener avec détermination pour m'éloigner sans cesse de « Joe » !

La natation fait partie de mes grands plaisirs. De plus, c'est un excellent exercice de coordination pouvant appuyer la tête de « l'autre » sous l'eau ! Je vais avoir le loisir et le plaisir de me remettre à cette pratique non appréciée par « Joe » !

Attention à l'eau qui dort !

Au milieu de la méditerranée

L'exaltation, le plaisir intense de me mouvoir, sous et sur l'eau, a suscité chez moi une nouvelle passion, la natation.

Donc, une fois installée dans le sud, très rapidement, j'ai investi dans un matériel de qualité : palmes, masque et tuba. Soit, j'allais seule à la plage, dans les criques de préférence pour me faire plaisir avec mon « plongeon canard » !

Il nous arrivait aussi que je parte à la plage la première, mon mari me rejoignant à vélo. Nous explorions les fonds marins ensemble. Moment magique, des plus ludiques, une espèce de parenthèse soporifique, un instant si prenant qu'il en fait oublier le temps. Lorsqu'enfin, nous décidons de sortir de ce beau liquide, nous nous sentons si bien, une sérénité inqualifiable envahit nos corps entièrement… Aucun événement, absolument rien, ne peut plus nous contrarier !

Après avoir replié nos serviettes et rangé les restes du pique-nique dans le panier, nous remontons tranquillement les escaliers. Je me souviendrai d'une fois, où la magie s'est, d'un seul coup, envolée ! Oui, oups ! Évaporée ! Comme le vélo de compétition, précautionneusement attaché, qu'un malotru nous avait volé, sur un endroit pourtant bien passager. C'est très curieux, ce jour-là, comme notre état de sérénité s'est vite dissipé ?

Sans cesse émerveillée du bien-être que procure cette sensation, d'être entièrement immergée, dans les fonds. Un moment de vie, telle une belle parenthèse, comme dans un autre univers, où tout est silence, apesanteur et bonheur !
Admirer les poissons aux formes et aux couleurs variées, descendre, encore plus bas, afin d'observer une étoile de mer dans sa parure orangée !

Donc que ce soit de la plage ou du bateau, je prenais ce grand plaisir ! Cependant, je me souviens plusieurs fois, l'on m'a largement grondée ! En fait, tel le petit « Némo », je n'avais guère trop de liberté pour vagabonder au gré de mes humeurs. Mais peu importe, j'ai toujours fait suivant les appels de mes lueurs ! Même si le poisson lune se faisait sermonner, car je provoquais certaines sueurs.
« Mais c'est inconscient, Catalina ! Tu nous fais peur ! Tu pars dans une direction, tu ne dis rien à personne, tu t'éloignes de plus en plus. Tout le monde te cherche et se fait du souci ! Ça, c'est fini ! Si tu nages aussi loin, tu pars avec quelqu'un ! »

« Marsupilami » sur terre et « poisson lune » dans l'eau ! C'était ainsi !
En Corse, nous aimions jeter l'ancre, dans ce que nous appelions « la piscine » une espèce d'avancée maritime calme et sereine pour passer la nuit. Au bout de cette « piscine » se trouvait une épave de bateau immergée.

Un jour, où il faisait bien trop chaud, mes amis et mon mari décidèrent de monter une petite falaise pour se rendre au village d'en face sous un soleil ardent. Pour moi, non merci…

Voilà, mes randonneurs partis sous ces rayons brûlants, juste à l'heure la plus torride.

Je décide de nager, puis je suis comme appelée par cette espèce de grosse carcasse métallique recouverte de coquillages et de coraux. Je fais quelques plongeons d'exploration. Un vrai bonheur et dire que les autres sont sous la chaleur accablante et suffocante !

Mais, justement, ils ont tellement sué, qu'ils sont revenus déshydratés, bien plus tôt que prévu !

Pas de Catalina à bord !

Ils m'ont cherchée et finalement trouvée au niveau de l'épave engloutie !

Nul besoin de vous expliquer qu'ils ne m'ont pas félicitée ! Le petit poisson « Némo » que j'étais s'est encore fait gronder !

Et j'entends : « Franchement Catalina ! Imagine que tu restes coincée, que ta palme t'empêche de remonter ! Imagine tout ce que tu veux… Tu es, toute seule, là au milieu, il n'y a pas un bateau à l'horizon ! Nous nous sommes partis de l'autre côté, nous privant de toute vision sur tes grandes prises de mauvaises décisions ! »

Mais moi, j'étais un « petit Némo » rempli de vivacité et de curiosité ! Oh ! Oui, curieuse, et si bien dans l'eau, à l'aise comme un petit poisson lune dans la Lune ! Alors, des paroles de mes deux « vieux requins », mon ami et mon mari, qui me voulaient du bien, je n'écoutais rien ! J'ai continué à faire rouler mon train avec entrain ! Mes deux anges gardiens n'avaient pas fini de prendre chaud !

Une autre année, j'étais repartie seule dans une splendide curiosité spéléologique. Un étroit et très long passage envahi par une multitude invraisemblable de magnifiques poissons ! Nous l'avions déjà fait ensemble plusieurs fois. Il est vrai qu'il y avait un endroit d'immersion totale pour passer sous un gros rocher. Il s'agissait de prendre une grande inspiration, se propulser sous la pierre et ressortir de l'autre côté.

Bref, Isabelle va faire une petite sieste. Les garçons partent s'occuper du souper, non pas au supermarché, mais à la chasse sous-marine avec fusils à harpon et filet.

Moi, « petit Némo », je décide de retourner dans la cavité ! Cette fois, personne ne m'a cherchée puisqu'ils étaient tous bien affairés !

Au moment, de l'apéro, je raconte ma fierté, avoir refait un tour de la divine cavité ! J'aurais mieux fait de ne pas piper mot, cela m'aurait évité ce nouveau flot sur les dangers et leurs fléaux !

Pourtant, mon père n'était pas parmi les croisiéristes de l'embarcation ! Vogue la galère, dans cette affaire, je n'en avais plus un, mais, une « paire de pères » !

Pénible la surveillance pénitentiaire ! S'ils avaient su que « petit Némo » allait vite avoir un problème d'agilité aquatique, ils m'auraient évité toutes leurs improbables statistiques !

Sans parler uniquement de l'appel des profondeurs, lorsque nous allions à la plage l'été, avec Luc et Marie, j'avais du mal à rester sur ma serviette. Je partais à la nage en m'éloignant de la crique dans laquelle nous nous étions installés. Le littoral étant très escarpé et moi n'ayant aucune crainte de m'éloigner souvent, Marie ou Luc, escaladaient les rochers, à ma recherche. En criant, car j'étais à distance : « Eh ! Catalina, tu vas bien trop loin ! Allez ! Catalina… Reviens ! » Mais tous ces bonheurs, je les ai vécus avant 2015 !

Sans jamais penser qu'un jour viendrait où je lutterai pour ne pas mourir noyée !

C'était en 2016… Comment l'oublier ?

Je m'octroyais le grand bonheur de prolonger ma journée, sur une plage et un matelas réservé. Ce que je faisais de manière très habituelle était de nager jusqu'aux bouées assez éloignées, il faut bien l'avouer, et revenir. Les jours où j'étais en forme, j'effectuais deux allers-retours !

Ce qui paniquait un peu mes parents et ma famille ! Pour les rassurer, un jour, je leur ai dit que je partais toujours avec une casquette rouge vissée sur la tête. Si j'avais eu un problème les maîtres-nageurs sauveteurs de la plage auraient bien aisément et rapidement localisé le seul point rouge de la Méditerranée.

Ce jour-là, après ma grande marche du matin, je m'installe tranquillement sur mon matelas. Puis, enfile mes petites lunettes, celles qui permettent de faire de la brasse correctement. Et pour la énième fois, me voici partie en direction des bouées.

Je me souviens très bien que c'était tout début octobre et que c'était une journée de très bel été indien. La plage était calme, la mer était vide d'humain ! Nous étions en semaine, les locaux au boulot et les touristes remontaient leur piste… Fini la visite !

Un véritable bonheur. Le meilleur moment de l'année pour en profiter !

Bien évidemment, l'histoire de la « casquette rouge » aurait pu être le titre d'un récit à conter, au moment du coucher, pour mieux endormir les parents ! Comment nager la brasse avec une casquette ?

Donc je me vois encore, en pleine forme, chausser mes lunettes et me diriger avec entrain et bonne humeur, remplie de gaieté vers la Méditerranée.

Et comme je l'ai fait de multiples fois, j'engage quelques mouvements et me lance dans l'action, tout droit en direction de ces beaux et jaunes ballons !

C'est alors qu'une sensation très particulière survient d'un seul coup. De manière à ce que vous cerniez bien l'affaire, je vais vous résumer le dossier de façon imagée.

Ainsi, prenez un instant pour revoir l'image de cet insecte que l'on trouve principalement sur les étangs. Cette curieuse bestiole, aux longues pattes, se déplace très rapidement à la surface de l'eau. Aussi appelé hétéroptère, il se propulse grâce à ses longs membres.

Jamais, je n'aurais pensé, de ma vie, pouvoir me comparer à cet insecte ! Ce fut, pourtant et invraisemblablement le cas ce jour-là…

Je me suis dit : « Tu ressembles à un hétéroptère affublé d'un petit problème. » Pour ne pas dire, « un gros problème » ! La bestiole que j'étais devenue, en un instant, avait entre-temps subi comme une ablation de l'un de ses membres inférieurs. Bien moins performant, puisqu'il n'avait plus qu'une jambe pour se propulser !

J'ai donc été l'initiatrice d'une danse toute spéciale que l'on peut résumer de la manière suivante « un coup en avant, un coup en arrière ! »

J'ai vite fait de comprendre que je me trouvais dans une certaine galère. Ma première idée, faire la planche, pour me reposer et récupérer.

Puis, le petit insecte unijambiste que j'étais devenue décide de repartir en direction des bouées, car après analyse visuelle de la situation celles-ci étaient plus près finalement ! C'est moins périlleux que de retourner à la plage. Cependant, je me suis bien vite rendu compte que je n'y parvenais point.

Ma deuxième réaction a donc été de faire un tour d'horizon à 360°. Ma bonne raison me disait : « Maintenant, il faut appeler et demander de l'aide, parce que la vieille araignée d'eau, elle se trouve sur un mauvais bateau ! »

Mais ce jour-là, il n'y avait pas l'ombre d'un chat, même très loin, de moi !

Je commence à me mettre en mode panique. J'observe alors le poste de garde qui me semblait être à l'autre bout de l'hémisphère. De plus, pas un sauveteur en mer !

Je me dis qu'il faut rester les pieds sur terre, ne pas sombrer dans la mer et trouver, toute seule, une solution pour sortir de cette grosse galère ! Ma panique grandit ! La peur m'envahit ! Je commence à trembler un peu, puis beaucoup, finalement énormément !

J'avais atteint un tel stade de tremblements que même mon bras gauche ne me servait plus à rien. Donc, voyez bien : un insecte non pas unijambiste, mais d'un seul coup limite en fauteuil roulant puisque de quatre membres pour se propulser il ne lui en restait plus que deux ! Je n'avançais pas !

J'ai fait un très gros effort sur moi ! Je me suis répétée en boucle des phrases qui résonnent, tant d'années après, encore et pour toujours :

« Ce matin, il n'était pas prédit que ce soit mon dernier jour de vie ! »
« Il n'est pas écrit que j'allais me noyer ! »
« Il n'est pas prévu que ce soir, je ne soupe pas avec mon mari ! »

Faisant la planche, le plus souvent possible, histoire de calmer mes tremblements et de me reposer, je parvenais à avancer sur une ou deux propulsions !

Le temps a été interminable, je l'ai cru sans fin, les bouées me semblaient tellement loin !

J'ai bataillé, contre cet élément dans lequel nous ne sommes rien, me récitant les trois phrases de survie, celles qui l'espoir m'ont donné. Ayant l'impression qu'à tout instant cette immensité liquide allait m'aspirer ! Après approximativement 2 heures ; j'ai fini par arriver à la hauteur de la corde qui tient, entre elles, ces fameuses bouées ! Je vous parle « en temps », mais très sincèrement, toute notion avait disparu, cela fut interminable ! C'est très long, c'est inqualifiable, indescriptible, lorsqu'on lutte pour ne pas se noyer !

Je souffle, je réapprends à respirer (mon ressenti est si difficile à expliquer, complètement inexplicable d'ailleurs) en me disant « tu es sauvée ». Oui, je me suis dit « tu es sauvée » car, soyez assuré, j'ai bien cru que mon dernier jour était arrivé !

Pour finir, je me suis hissée le long de cette grande corde. J'ai bien dit « hissée ». Petit Némo, aussi bien dans l'eau, celui qui a suscité de nombreux sursauts, ne savait plus aussi bien nager !

Je suis tombée écroulée, éreintée, choquée, éberluée, sur le matelas que j'avais loué ! Je n'en ai pas bougé, jusqu'à ce que toutes les cellules de mon corps et de mon esprit soient, à peu près, rassemblées. Mais que venait-il de m'arriver ? Qu'est-ce que mon corps m'a fait ? Sans aucune sommation, sans aucun signe avant-coureur ?

Le soir, en rentrant comme d'habitude mon mari me demande, « alors, ça s'est bien passé ? » Tellement persuadé de ma réponse habituelle, à ce questionnement devenu rituel, dès que je partais en activités physiques, il tourne les talons.

Mais cette fois, ma réponse n'a pas été « oui... » suivie, d'une description de jolies sensations.

« Non ! Pas du tout ! Je me suis fait très peur ! »

N'ayant point donné l'habitude, à ses oreilles, d'une telle sonorité et d'un volume de ma voix si différent ! Il s'est stoppé net, dans son élan, s'est retourné en m'observant, tout en m'écoutant très attentivement !

Le « petit Némo » tant habitué à l'eau, muni de son inconscient certain, en milieu marin, puisqu'il y était tellement à l'aise et serein fut le sujet de conversation de cette soirée.

Némo « poisson lune », faisait la « une » dans notre couple car il avait rencontré un gros obstacle et pris une énorme claque !

Cette déplaisante expérience nous a conduits à bien des discussions de précautions !

Désormais, je nage là où j'ai pied. Si nous sommes en bateau en pleine mer, je reste autour de l'embarcation. J'ai scratché autour de mon poignet, un bracelet avec une ficelle au bout de laquelle il y a une frite qui me suit dans l'eau. Ainsi, si je me transforme à nouveau en insecte, en un seul geste, je ramène cet instrument flottant sous mes bras.

Dans les flots, il y a toujours Isabelle qui nage à mes côtés ! Quoi qu'il en soit toujours un ami avec moi.

Même si le tour de garde de « Némo » tombe sur Marine, qui n'aime pas la pleine Méditerranée car elle a peur de s'y faire manger les pieds ! Elle campe alors, de là-haut, de tous ses yeux, après avoir eu toutes les recommandations de ma « paire de pères », c'est-à-dire, mon mari et Jacques ! Avec elle, même si elle n'est pas dans l'eau, soyez assuré que « petit Némo » ne risque rien !

Rituel devenu traditionnel, mon capitaine analyse le sens du vent, le sens et la force du courant, puis donne ses instructions dans son bilan !

Petit « Némo » fait moins le malin, depuis cette grosse mésaventure. Quand, il va voir les beaux poissons, c'est toujours avec ses « deux vieux requins », main dans la main !

Et dire qu'en 2016, j'ai bien cru voir arriver ma dernière heure, car il n'y avait pas un seul maître-nageur ! Je suis bien plus en sécurité, puisque de nul œil me surveillant, ce jour d'octobre, je suis passée à une gigantesque armée d'amitié à puissante visée !

Mais rappelez-vous de ce chapitre où j'ai promis à Socrate de ne « jamais rester là où je serai tombée ! »

Ainsi, même avec cette terrible épreuve, très rapidement, j'ai entrepris la reconquête du milieu aquatique ! De manière différente certes, entourée de multiples précautions afin d'éviter toute nouvelle perturbation qui sans exagération pourrait amener à mon extinction ! Je continue à profiter de l'eau avec détermination !

Cette histoire n'est pas une volonté d'intimidation. Cette aventure n'a absolument aucun contenu s'approchant de la fiction !

Donc, soyez prudents et faites très attention, lorsque vous nagez avec celui qui nous ennuie par son intrusion, surtout entourez-vous de millions de précautions.

Petit « Némo » le poisson lune est devenu plus vieux, plus sage et tellement plus raisonnable ! Il y a bien longtemps que l'on ne le gronde plus !

À l'époque où il faisait des bêtises, sa « paire de pères » avait bien raison de le conduire vers la raison et de procéder à toutes les révisions sur d'éventuels dangers à l'horizon.

L'eau reste, quoi qu'il en soit, un milieu potentiellement dangereux, où il vaut mieux faire les choses à deux avec un minimum de sérieux !

Les vacances, comme toutes bonnes choses ont une fin. Il faut se remettre sur les rails et, dès fin août, préparer ma nouvelle rentrée. Toute cette année scolaire fut compliquée ! Je me souviens parfaitement du mois de février, des plus particuliers ! La fatigue gagne du terrain, les douleurs n'arrangent rien…

« L'an 1819 »

Un soir, je décide qu'il ne me ferait pas de mal de bien m'installer sur le bord d'une table. De saisir d'une main une feuille, de l'autre l'outil laissant des traces et des formes de couleur reconnaissables par tout lecteur. Une envie subite de raconter un mois bien particulier !

Nous sommes vendredi 14 février, première soirée des vacances d'hiver. C'est une véritable délectation, une pure merveille ! Impatiemment, j'espérais qu'arrive enfin ce moment ! Ainsi, tous les matins, j'ai retourné le grand sablier du temps, dès mon difficile réveil ! Car il faut bien l'avouer, cette période ne m'a pas épargnée. Il m'est impossible d'oublier cette première soirée de repos bien méritée ! Ce jour est à marquer d'une croix blanche à l'aide d'une grosse craie ! D'ailleurs, craie ou pas, cette soirée sera toujours dans ma petite tête d'alouette.

Paradoxalement, les semaines passent relativement vite. Cependant, les journées sont interminables et éreintantes. Comme si chaque grain de sable, dans cette espèce de fiole en verre, tombait de haut en bas, très péniblement ! Heureusement, il s'agit du mois le plus court de l'année !

Mes montres ressemblent à celles représentées dans les tableaux « Persistance de la mémoire » de Salvador Dali. Ainsi, les aiguilles et les montres à gousset sont représentées par l'artiste complètement difformes. Les miennes sont identiques, c'est-à-dire allongées. Elles semblent avoir fondu sous l'effet, non pas de la chaleur, mais de la fatigue ! Ce qui, pour l'observateur du tableau et moi-même, évoque une perte de repères temporels.

Le temps semble s'être figé, raide, rigide, solide comme une des grosses barres métalliques colorées dans le tableau « Les Constructeurs » de Fernand Léger.

Autour de la table à roulettes sur laquelle la boule rebondit, de cases rouges en cases noires dans ce cadrant circulaire semblant, lui aussi, donner l'heure, aucun joueur n'aurait misé sur moi. Aucun n'aurait parié sur le petit lévrier. Par contre, tous pensaient que l'animal ne pourrait finir sa course, sans s'arrêter, en ce soir de février ! Ces derniers temps, j'ai aussi interprété le rôle de l'alouette, celle qui se fait toute plumer en commençant par la tête. Lévrier ou alouette, braves bêtes, toutes les deux se sont montrées à la hauteur pour me sortir de ce labeur.

Chaque jour, je laisse des graines d'énergie. Les graines se transforment en grappes. Puis les grappes, elles-mêmes, se multiplient jusqu'à envahir tout un cep de vigne !

J'attrape un bon rhume, bien corsé, décidé à ne pas me lâcher. Les nausées, la fièvre, les mauvaises nuits, le mal de tête et j'en passe, alourdissent la liste déjà longue au début de la période. Sur cette feuille, les mots et les maux se multipliaient. Elle s'allongeait, de jour en jour, il semblait que ladite liste avait décidé de se grossir, s'étayer comme la grenouille souhaitant égaler le bœuf. Effectivement, il semblait que ladite liste aurait apprécié de se faire éditer ! Non, non… Je n'étais pas fatiguée, plutôt anéantie ! Bien entendu, vous l'aurez saisi, tout ceci était dû et accentué par mon colocataire indésirable.

La dernière semaine, feu d'artifice, apothéose, dernière manifestation pour finir en beauté l'assaisonnement de la période. « Grand Cross de février » avec les parents, s'il vous plaît ! Un enjeu : un chèque au profit d'une association. Plus chaque enfant courra longtemps, plus l'addition sera longue tout comme l'alignement des chiffres de la somme !

C'est une tradition, les « grands événements » chez nous, pour clore chacune des cinq divisions de l'année ! Quoi qu'il en soit, nous avons tous, la consistance de purées ! L'on distingue, parmi les collègues, celles montées avec une bonne crème fraîche et celles conçues avec un simple lait !

Moi, je suis en « mode lyophilisée » mélangée à l'eau du robinet !

Il y a quelques années, je détrônais la recette de Paul Bocuse, même au plus haut de son aventure. La sienne faisait pâle figure, à côté de ma splendide texture ! Mais voilà que « Joe » avait décidé de transformer ma recette à sa manière. Bref, pour tenir le coup, en mode moulinée, il m'est même arrivé, une chose peu banale. Celle de me retrouver vêtue, dès 17 heures, de l'arsenal de nuit et couchée, prête à dormir jusqu'au lendemain matin !

Bref, cette dernière journée s'est passée, moi, je me suis surpassée ! Mais il n'en fallait pas plus, sinon j'aurais trépassé.

Arrive le cross programmé, l'annonce d'une bonne journée, avec le sourire, je vous prie. Souvenez-vous ! Je vous ai décrit ce métier aux multiples facettes, ainsi dans mes missions de ce jour : organiser, encadrer, motiver, surveiller le chrono, siffler, applaudir, acclamer ! Malheureusement, « Joe » ne m'a pas soulagée, au contraire, il s'est montré fort désagréable.

Rendez-vous, le soir, avec un parent d'élève. Entretien qui s'est éternisé et moi, j'ai tenu, jusqu'au bout, en me remettant un peu de rouge sur les lèvres. Une bonne journée, bien remplie, pour finir ce satané mois de février ! En arrivant à la maison, je me serais volontiers évaporée, volatilisée, tout simplement couchée car il était déjà tard ! Mais nous étions le 14 février, jour de la Saint-Valentin, mon mari nous avait fait un petit festin. La bouteille de champagne était au frais.

En ce moment, je suis plutôt « en mode épisodiquement ! » Et bien loin d'en être fière ! Je suis absorbée par mon métier. Heureusement, je me rassure en pensant que ce n'est que provisoire, dès la rentrée prochaine, je vais reprendre toutes mes bonnes habitudes de régularité, d'effort…

J'ai repris un 75 % thérapeutique. Puis là, je me suis conduite comme un enfant loin d'être sage. Je me suis remise à 200 % dans mon travail ! Toujours plus, car c'était un besoin et moi Catalina, je ne parviens pas à m'actionner autrement !

Depuis mon arrivée dans ma petite école du bonheur, le même scénario s'est déroulé. J'ai tiré ma roulotte dans un autre village, un nouveau faubourg et à grands coups de tambour, j'ai fait la parade, j'ai remonté mon estrade sur ses tréteaux, j'ai retendu les calicots qui annonçaient mon programme.

Ainsi, j'ai perdu pied avec mes priorités. À nouveau, j'ai oublié qu'il fallait veiller sur moi ! Tout mettre en œuvre pour déstabiliser « Joe ». Du coup, j'ai mis entre parenthèses mes bonnes habitudes et le programme que je m'étais alors imposée.

Ce qui s'est passé est simple. J'ai chuté dans les escaliers, d'abord marche par marche. Puis sans m'arrêter, d'étage en étage ! Je me suis laissée submerger par ma passion d'enseigner. Pourtant, sans prétention, je n'ai plus rien à prouver ! Tous les mois qui se succédèrent se ressemblèrent ! Mars, avril, mai, jusqu'au 16 juin, journée dont je me souviens fort bien.

Comme chacun sait, « Joe » provoque une grande fatigabilité. Il est malin, plus il me sent fatiguée et davantage il se complaît à accroître cet état. Les premiers mauvais symptômes ont vite suivi 1, 2, 3, 4, et 5 ! Oui, cinq tendinites ! Donc, au final une très mauvaise note pour l'élève que j'étais devenue. Tout cela fait que j'ai baissé les bras. Ils étaient accaparés vers d'autres labeurs ! Effectivement, mes membres supérieurs étaient bien trop occupés ailleurs ! Corriger les classeurs, tenter d'allumer quelques lueurs sur le passé antérieur ou encore faire assimiler les conversions de mesures de longueur ! Dans cette partie de ma vie, mon histoire ne rime plus avec exercices physiques, rigueur, régularité, repos, c'est-à-dire, soin de mon esprit et de mon corps.

J'ai saisi qu'il fallait vraiment m'arrêter, lorsque mes élèves, de leurs yeux ébahis me faisaient comprendre que j'avais dit une sottise.

« Mais, maîtresse, ce n'est pas comme ça que tu nous as appris ?

— Oups ! Effectivement, c'était juste pour vérifier si vous m'aviez bien écoutée ! »

Un jour de classe, où je luttais en mode survie. Alors, envahie par les douleurs et une fatigue extrême me rendant toute bancale. Un élève m'a demandé :

« Maîtresse comment on écrit 16 juin 2019 en abrégé ? »

Là, je lui ai répondu :
« 16/06/19

— 16 pour le jour

— 6 pour le mois, juin,

— 19 pour l'année, puisque nous sommes en 1819 ! L'année 1819. » Je répète même avec insistance, afin d'être certaine que l'enfant en question ait bien compris et entendu.

« Maîtresse, mais... nous ne sommes pas en 1819 ! », se laisse entendre une voix parmi les 25.

Mme Fatigue répond « Chut ! Allez ! Au travail... Gros programme aujourd'hui ! »

Mais, où était la maîtresse, Mme Rancurel ? Gobée... Oui gobée ! Disparue, car avalée par la « Mère Fatigue ». Vingt-cinq regards, cinquante yeux interloqués m'ont scrutée ! Étonnamment, je les observe, je me suis longuement interrogée. « Mais qu'ont-ils donc, aujourd'hui, à me fixer mes petits protégés ? Peut-être mal coiffée ? Mais, enfin qu'y a-t-il de particulier ? »

Les secondes se transforment en minutes, l'atmosphère pèse comme s'ils attendaient l'arrivée du père Noël ! Pas de réaction de ma part ! Une vague de chuchotements inhabituels balaye la classe. Mes petits loupiots me fixaient toujours comme une extraterrestre. J'ai vu dans leurs pupilles, l'attente d'une réaction active. J'ai entendu leur pensée, à l'unisson. Ils se sont dit :

La maîtresse est en détresse.
Elle a même dû perdre son adresse !
Il faut envoyer un SOS !
Prévenir quelqu'un à toute vitesse !
Car notre maîtresse, nous, on lui ferait plein de caresses
Elle doit avoir besoin de tendresse…

Bref, un élève m'explique, je lui rétorque « non, ce n'est pas possible ». J'ai tenté de récupérer la chose par un tour de passe-passe ! Mais, en même temps, je me disais : « Là, tu es dans l'impasse ! »

À ma décharge, bien plus tôt, en tout début de matinée, la leçon en histoire de l'art portait sur un tableau de Gauguin, de la fin des années 1800 « Les Joyeusetés ». En fait, mon esprit était resté dans le passé sous le gouvernement D'Émile Loubet et mes pensées erraient au Musée d'Orsay, au milieu de ce décor de Polynésie idéalisée !

Il faut bien trouver un moyen de se faire excuser ! Même si dans ce que je viens de dire il n'y a aucune vérité ! À partir « de l'an 1819 », je décide définitivement, d'aller récupérer le papier, posé sur l'angle, du bureau de mon docteur.

Les trois feuillets qui m'arrêtaient pour une dizaine de jours, histoire de remettre la date à jour !

Tous les signaux m'alertent
Qu'ils soient visuels, sonores ou virtuels
Tels des warnings dans le brouillard
Plus intenses que le brouhaha d'un tournoi de billards…

Les boules, dans ce hall immense, s'entrechoquent
Si fort qu'elles me disent : « Soit raisonnable !
Sinon, tu ne tiendras pas le choc ! »
Il faut savoir s'écouter, et avec son corps, être aimable
Dès que la lassitude nous accable

Sur le bureau de mon médecin, à la droite de sa grande table
Un papier, qui n'est autre qu'un arrêt de travail, est posé

Mercredi, j'avais refusé de l'attraper
Par crainte de déranger

Le miroir m'a reflété sagesse de vérité :
Quand on est envahi par ce désagréable locataire,
Il faut se ménager, savoir prendre l'air
Donc c'est décidé, mon médecin, je vais écouter !

Je préviens mon directeur avec ce petit texte inspiré de nos leçons d'histoire. Nous traitions, alors, de la Révolution française.

De : Catalina
À : Christian

« Ce soir, j'ai juré moi le « Tiers État », caricature qui porte sur
son dos le clergé et la noblesse
À force, tout mon corps est en faiblesse

Le « Serment du jeu de Paume »
Devant ma kiné

Ne point me séparer de mon médecin
Sans qu'une première solution ne soit trouvée !
Je vais donc quitter l'assemblée
En cet été
Avec mon arrêté
Répondre « aux cahiers de Doléances »
Promis main droite, je lève !
Et je me bats avec pour meilleure arme
Le repos de mon âme
Je reviens à vos côtés prendre la relève
Quelques jours et...
J'apparaîtrai plus colorée

Ma tête ne sera pas tombée guillotinée. »

De : Christian
À : Catalina

« Que dire ? Ta venue dans l'école a été un rayon de soleil. Ta présence est un plaisir pour nous. Tes élèves t'apprécient énormément. Je ferai tout pour faciliter ton travail.

Tous les jours, nous partageons avec bonheur ta gaieté, ton humour et ton sourire ! Repose-toi, prends soin de toi. Je suis de tout cœur à tes côtés, moi le petit directeur. »

De : Christian
À : Catalina

« Ton absence nous a perturbés et lors des répétitions, je pense souvent à toi, qui leur as si bien enseigné ces chants, ils les connaissent parfaitement et c'est ton travail ! »

Oui, pour que vous compreniez, je dirigeais la chorale et faisais chanter les élèves de toutes les classes. Au fond de moi, je suis heureuse, vu mon état de fatigue improbable, d'échapper au plus grand évènement de l'année, la fameuse Kermesse, ce moment de grand-messe !

J'ai craqué par manque de raison

Depuis des mois, ma neurologue s'évertue à faire des répétitions

Elle me connaît très bien et a cerné quel serait le meilleur soin
Cesser mes sottises et mes bêtises
Trouver une solution afin de voir l'école de plus loin !

Si ma profession est une cage
Alors, comme un oiseau sauvage

Il faudra que je m'envole vers l'horizon
Pour n'avoir comme unique message
Et pour seule préoccupation
Que « Joe » à surveiller dans sa mini prison !
C'est une obligation !

S'engage une grande réflexion...

Jugez vos succès d'après ce que vous avez dû sacrifier pour les obtenir.

Dalaï-Lama

La bonne décision

Cette année « Joe » a pris de l'ampleur. Mon état général s'est quelque peu dégradé. Mon colocataire a pris de l'avance, il a gagné du terrain ! Et cela, évidemment, est loin de me convenir !

À la suite de nombreuses réflexions et conversations avec mon médecin, une toute nouvelle décision se profile à l'horizon. Il est nécessaire d'effectuer un choix, nous avons décidé du bon virage à prendre. J'ai donc inscrit dans mon agenda, à la page mémo, sur les recommandations récurrentes et l'encouragement insistant de ma Neurologue.

« Dix derniers mois à conduire ».

Comme depuis bien des années, à la fin des vacances d'été, je passe mes après-midis à l'école pour préparer les prémices de la rentrée. Place à une année, encore, débordante de richesses pour ma classe. Que tout soit à la hauteur de ma carrière entière, boucler mon affaire, la tête haute et fière. Partir sur une bonne note de la gamme du solfège. Laisser à ma dernière promotion d'élèves, la mémoire d'une maîtresse un peu unique. Il paraît que cela a toujours été ma marque de fabrique ?

Pour la dernière fois, glisser dans ma malle, déjà bien pleine, de jolies lettres quelquefois surprenantes car saisissantes. Ces mots de remerciements si plaisants et si émouvants et ces cartes aux lectures pleines de saveurs et de couleurs sur lesquelles les parents ont transcrit leurs pensées abondantes de chaleur.

Une année de travail sans rien laisser paraître, c'est là un grand défi. Partir heureuse, car ma dernière mission, je veux qu'elle soit aussi savoureuse que la plus mélodieuse des partitions. Je suis encore le chef d'orchestre qui, de sa baguette, mène les musiciens pour le plus beau des spectacles, mon bouquet final !

Puis, une nouvelle page s'ouvrira, celle où tous désirs ne seront que miens. Je deviendrai un tout nouveau, un tout autre, chef d'orchestre. À moi, tous les matins, de commencer ma journée par une randonnée pédestre et autres plaisirs simples et bien terrestres.

Paradoxalement, j'ai hâte de vive avec ma classe, cette année très spéciale, comme une institutrice heureuse et tenace. Seule à vraiment savoir qu'il va bientôt y avoir une jolie fin à mes devoirs et ma transmission des savoirs.

Je vais apposer sur le papier de beaux guillemets bien formés et appliqués pour marquer que ce passage est terminé ! Puis aussitôt, en ouvrir d'autres, différents, car c'est inversement, dans l'autre sens qu'ils se présenteront. Ils prendront, sur la feuille, la direction de l'avenir à écrire. Orientation vers une nouvelle histoire à découvrir, vivre et m'épanouir dans un beau livre à la reliure solide, magnifique, tout en cuir ! Avec un titre tracé dans une splendide calligraphie figée dans la matière noble par un épais fil d'or.

Votre vie ne s'améliore pas par hasard, elle s'améliore par le changement.

Jim Rohn

J'ai tenu une autre promesse !

Souvenez-vous de ma promesse faite à Socrate. Ce jour-là, j'avais prononcé d'autres paroles. Un contrat, celui-ci dédié à moi-même, en me regardant fixement, les yeux dans les yeux, au travers de cet objet qui renvoie parfaitement votre visage à vos pupilles. Dans le contenu de celui-ci figurait un élément important, il s'agissait d'une date. Mon échéance était, dans mes propos, fixée pour 2019, soit quatre années plus tard. Le temps passe si vite, à l'intérieur de ce sablier de verre où tombent indéfiniment, un à un, ces grains de sable.

Me voici, à nouveau, devant le même miroir à parler lucidement, en tête-à-tête, avec mon âme. « Tu peux être fière de toi, Catalina, tu as tenu parole. Tu as honoré tes dires d'il y a quatre années. Alors qu'un soir, tu étais devant ce miroir, objet réfléchissant de ton avenir, devant lequel tu avais clairement prononcé ton désir à venir ! »

Il était évident qu'un intermédiaire, entre mon « avenir » et moi, s'était glissé et de ce fait avait procédé de manière non détournée à rallumer les paroles anciennement prononcées. Je ne vous parle pas là d'un être humain, ni d'un animal, ni d'un objet non identifié venu d'un ailleurs ! Rien de tout cela ! Quoi alors ? Vous questionnez-vous ?

Curieusement, c'est une chose, oui, une chose du quotidien de tout humain qui m'a rappelée à l'ordre, et ce avec les mêmes sons, inlassablement, en répétition. Tous les soirs, il m'attendait à l'endroit où je l'avais déposé. Il n'en a jamais bougé. Toujours présent, dans le couloir juste devant la porte de mon appartement. Hé ! Oui ! Je vous parle là, depuis ces quelques lignes, de mon « paillasson » ! Je vous devine surpris, car je disserte à propos de mon simple tapis. Le tapis d'entrée, celui sur lequel l'on s'essuie les pieds avant de pénétrer chez moi, dans mon intimité.

Voilà que celui-ci avait décidé de me rappeler qu'il était l'heure d'appliquer les faits, autrefois notifiés. Comment s'y est-il pris ? De quelle façon mon paillasson s'est-il mis en action ?

À l'époque où mon esprit était en 1819, moi en plein désarroi, enveloppée par un nuage d'une densité inqualifiable d'épuisements et de douleurs ! D'un coup, sans mise en garde, ni éventuelle ou quelconque forme de sommation, s'est produit un événement des plus bizarres. Alors que je rentrais, anéantie par ma journée, voilà qu'une fois les pieds posés sur la chose qui sert à les frotter, ceux-ci se mirent à bouger avec grande difficulté : stupéfaction, étonnement, observation ! Patiemment, très calmement, j'ai pris le temps d'effectuer cette gestuelle, si habituelle, en mode ralenti. En faisant un effort de concentration, une véritable performance mentale, envoyant à mon cerveau, une à une, chaque information sur l'enchaînement des actions. J'y suis parvenue deux à trois fois, guère plus, ma foi !

Depuis ce premier épisode, alors même étant encore à bonne distance de mon appartement, dans mon véhicule, je sentais venir l'agacement. Par anticipation, j'avais la vision de me retrouver sur mon paillasson. Mon pouls déjà montrait son accélération et quelques sueurs perlaient, alors que je n'étais même pas encore arrivée. Ma voiture garée, m'acheminant devant la porte d'entrée, mon énervement montait en pleine ascension. Bien évidemment, une fois mes pieds posés sur le fameux paillasson, se répétait inlassablement la même situation. Les extrémités me servant à marcher refusaient de s'actionner de façon répétée. Il me fallait faire un gros effort de concentration, pour au final, parvenir à un résultat passable. Les jours se succédèrent et le même scénario se répéta de multiples fois devant mon habitat.

Jusqu'au jour où je décidai de ne plus m'agacer, de ne plus m'évertuer de prendre les choses avec philosophie. Puisqu'il en était ainsi, si mes pieds ne voulaient pas se frotter, alors, je n'avais qu'à ôter mes souliers avant d'entrer. Ainsi, éviter de m'énerver. Stopper cette habitude angoissante d'anticiper et de suer bien avant de me garer, sachant que l'autre m'attendait pour se bagarrer. Stop ! Il fallait que cette affaire cesse, et ce au plus vite !

Bien évidemment, j'avais compris de quoi il s'agissait. Le paillasson avait raison, il était temps que je tienne ma promesse… Cela tombait bien puisque j'avais rendez-vous avec ma première confidente, celle avec qui j'allais m'entretenir et raconter ces nouveaux faits, devenus rituels habituels, des plus déplaisants.

21 juillet, rendez-vous chez ma neurologue, tant redouté, mais mise à jour obligé. Ce matin d'été, il fait chaud et ce rendez-vous habituel me fait toujours froid dans le dos. Même si

cela devient un rituel. Le tête-à-tête avec ma Neuro me fait perdre mes ailes.

J'arrive accablée par le doute, pleine de questionnements sur mon sort. Mais, je repars toujours sur des ressorts ! J'ai retrouvé mon souffle, je respire, je déstresse. Tout mon corps se défait de ses tresses, je rentre d'un pas bien plus léger dans notre chez nous.

Je sais que le même scénario se reproduira au prochain rendez-vous, à nouveau.

Quoique l'avenir nous dira, au final, tout le contraire...

Bilan de ce moment, passage à la dopamine. Je le savais en y allant, il était temps. Je n'ai pas fait grise mine, car il y a plusieurs années, j'avais décidé... je m'étais fait une promesse. Tout comme un pari avec moi-même ! Pour être plus exacte « Lévodopa/Carbidopa. » J'avais décidé de ne pas prendre ce comprimé bleu avant d'avoir soufflé mais 50 bougies et leur feu. Je m'étais promis, « jamais avant ! »

Avoir 50 ans

Nous sommes, mon mari et moi, deux grands gourmands ! Avec le champagne nous n'avons point été hésitants ! J'adore ce breuvage qui fait penser, dans la danse de ses bulles, que 50 ans est un bel âge, ce malgré mon funambule. Ma perspective s'affine, de mieux en mieux, je vois... Je lève mon verre aux futurs moments de joie !

Pour marquer cet anniversaire, nous avions décidé de partir en Bretagne. Enfin ! depuis le temps que je le souhaitais !

Cependant, petit problème pour moi, l'avion ! D'ailleurs, pourquoi dis-je « petit » ? En réalité, « énorme » serait plus approprié.

De l'esprit et du corps fuis la double paresse, car où l'esprit languit, le corps aussi s'affaisse.

Syrus

Vacances en Bretagne : « l'avion »

Je décide ce jour d'été que ce comprimé bleu, je ne le prendrais qu'à mon retour de vacances. D'ailleurs, il fit rapidement son effet, puisque trois mois plus tard, cela m'a permis de renouer des liens. Le tapis et moi étions redevenus amis ! Le paillasson était à nouveau mon compagnon !

Nous partons en Bretagne. Ce voyage, cette découverte, cette destination dont l'envie m'envahit. Enfin, l'occasion à nous s'est offerte !

Je pars voir l'océan, je réalise un petit rêve secret celui de voir les marées au gré de leurs cadences. À la pointe du Morbihan, dans un magnifique hôtel, nous allons séjourner.

Nous voyagerons en avion. Là encore, une grande décision ! Cela fait fort longtemps que je ne suis pas entrée là-dedans. J'en ai toujours eu horreur, mais chaque jour est une vie !

Petit retour dans le passé…

Ce mode de transport est pour moi une terreur à me donner palpitations et bouffées de chaleur. Un appareil oppressant, dans lequel même l'air respirable paraît insuffisant. Ce terrible engin se déplace avec une apparence tellement fragile face à l'atmosphère qu'il en semble suicidaire. Tous ces voyageurs dans leur siège bien serrés, pour ne pas dire compressés dans cette carlingue close, fragile comme une minuscule chose ! Dans cet endroit de psychose, en l'air, bien loin de la Terre, jamais je n'avais été si impatiente de prendre l'apéritif d'un soir !

Les yeux humides, dégoulinante de sueur, en pleine torpeur, l'hôtesse me demande : « Bonsoir madame, désirez-vous une boisson fraîche ou une boisson chaude ? » Ce à quoi, je réponds, sans absolument aucune anticipation, comme habitée par « Madame Terreur », à la vitesse de l'éclair : « Un whisky ! »

Mon mari m'observe avec de grands yeux écarquillés :

« Mais tu as horreur de ça ! » m'adresse-t-il ! L'hôtesse, ne faisant pas cas de la réflexion de mon époux, poursuit : « Avec des biscuits salés ou sucrés ? » Je réponds, complètement paniquée, avec un débit de parole devenant inaudible, comme si je suffoquais : « Peu importe ! »

À ce moment-là, plus personne dans mon cerveau, tous mes neurones étaient partis en cavale, à l'époque leur effectif était bien au complet. Aucun signe du squatter corporel, en mode approche, n'avait encore pointé le bout de son nez.

Puis, je me suis à peu près détendue, mes neurones sont approximativement revenus à leur place. J'ai survécu au voyage. Mon mari, face à ma réaction burlesque, complètement abasourdi, se mit à rire.

Depuis bien longtemps, nous n'avions repris « la bête des airs ». Pour ces vacances en Bretagne, je suis décidée, mes craintes se sont envolées. Eh oui, « Joe » m'aide à surmonter certaines peurs ! Même si je fais un peu mauvaise frimousse. Je m'envole pour ma presqu'île et sachez que je suis heureuse de découvrir, enfin, ces grandes, immenses plages de sable, ces côtes sablonneuses ! Je suis impatiente de voir la réalité de ce que mon imaginaire m'avait traduit. Je suis impatiente et heureuse comme dirait Jumbo dans le « livre de la jungle » tout en chantant « … Il en faut peu pour être heureux… »

Dans l'avion…

J'ai encore beaucoup à apprendre, même pour partir en vacances, nous ne partons plus en couple, finalement, mais à trois car « Joe », dans l'avion, refuse la soute à valises.

Monsieur voyage en bagage à main. Même la compagnie de vol ne parvient pas à m'en défaire.

Avec moi, il va choisir les boissons et les collations proposées par la belle hôtesse de l'air.

Derrière son sourire professionnel, elle me regarde sans savoir que nous sommes deux !

Car comme les pronoms personnels « moi » devient « nous » et le singulier devient pluriel.

Mais là-haut dans les airs, l'hôtesse garde les pieds sur terre. Avec ma bouteille d'eau, elle va me tendre un seul verre et non pas deux !

Comme quoi, il faut voir les côtés positifs de toute chose. C'est un exemple parmi tant d'autres. « Joe » me fait relativiser. Il me change positivement. Je vois les choses autrement. Je me positionne de l'autre côté de l'affluent. Il m'aide à apprivoiser mes tourments, à calmer les ardeurs de mes anciennes terreurs.

Remarquez, entre nous, il me doit bien au moins ça ? Cela compense, un minimum, les autres aléas dont il est la cause.

Cependant, il faut avouer que le retour s'est moins bien passé ! Notre vol avait déjà un retard considérable. Lorsqu'il fut le moment d'embarquer, pour la première fois, je me suis trouvée confrontée au fait que l'avion ne pouvait décoller pour des problèmes ignorés par les passagers.

La situation a longuement duré, à un moment donné, ils ont même coupé l'air conditionné ! Me voilà donc enfermée, cloisonnée, dans un espace non aéré ni climatisé. Bien évidemment, en toute logique, voilà que se pointe « Monsieur panique ».

Devant moi, il y avait un magazine en langue étrangère, celui sur lequel vous pouvez visionner des achats à faire à bord de l'appareil à des prix concurrentiels. Je ne comprenais rien à cette langue qui n'était pas mienne. Mais je me suis tellement concentrée, afin d'éviter de devenir dingue, dans cette carlingue en zinc, qu'il me semble même en avoir compris quelques contenus ! C'est ainsi que j'ai failli devenir bilingue.

Puis au bout d'un moment, dans la rangée tout à côté, un bébé s'agace. Évidemment, tout comme les passagers qu'ils soient grands, petits ou en mode lyophilisé, comme ce nouveau-né, la chaleur envahit l'espace et nous indispose ! Puis ce petit être commence à pleurer et le son monte en tonalité. Il se met à crier et finit par hurler.

J'ai mentalement passé ma commande sur les pages de ce magazine. Revue dans laquelle je ne comprenais assurément rien, celle-ci m'a permis d'essayer de m'évader spirituellement de cette situation devenant fortement pesante. J'ai même pensé, un moment, sortir de l'appareil. J'ai bien cru bousculer tout le monde et remettre les pieds à terre. Mais non, j'ai pris mon courage à deux bras et je me suis focalisée sur ces pages, dans lesquelles j'ai commandé, d'abord, une centaine d'articles. Puis, lorsque l'avion s'est enfin mis à décoller, un seul, j'ai conservé, commandé et payé !

Si à l'intérieur du cockpit, il y avait pour les pilotes un problème à régler, celui qui restera, pour tous les passagers, à jamais non communiqué, le retour ce serait parfaitement passé.

Toujours est-il que je suis assez fière de moi, malgré « Joe » dans mon bagage à main, J'ai surmonté l'affaire même s'il m'a transmis son stress. Au final, je pense qu'il a eu plus peur que moi, « Bien fait pour toi ! Sale bête ! »

Le corps avec l'esprit fait figure, mais l'esprit doit sur le corps prendre le pas devant.

Molière

Voilà de nouvelles vacances qui s'achèvent. À la rentrée, je me suis promise de remercier quelqu'un à qui je dois beaucoup !

Oh oui ! Même bien plus que cela ! Cet être restera à jamais dans ma mémoire, car il a été à lui seul une cargaison de bonnes intentions. Il a illuminé mes dernières années dans ce métier que j'ai tant aimé. Ainsi, il a eu la bienveillance, surtout les derniers mois où la fatigue s'est accumulée, de m'excuser pour les réunions qui avaient lieu en soirée. Sans même s'en apercevoir, il aura tout fait pour me protéger, me soulager et m'éviter le soir de rentrer dans le noir.

« Merci Patron ! »

Christian a veillé à me ménager, mais bien au-delà, bien plus que cela ! Je ne peux énumérer ici toutes ses bonnes attentions. À quelques-unes, je ferai allusion. Il me renvoyait me reposer, dans ma classe, pendant mes services de récréation ! En tout début d'après-midi, il réunissait les élèves sous le préau, ce qui me donnait un petit quart d'heure de répit. Ainsi, il proposait diverses activités, dont une dans laquelle il excellait, « la narration de contes » !

Bien évidemment, je ne l'ai guère écouté. Sauf certains jours où toutes ses propositions étaient véritablement dignes des meilleures potions à ingurgiter par grandes cuillerées tout comme la meilleure des prescriptions.

J'ai eu la chance d'avoir mon ange gardien à travers cette belle personne ! Souvenez-vous du début de mon histoire :
« Ce monsieur est un beau sachet d'humanité. Ce monsieur, homme généreux est, dans ce passage particulier de ma vie, un croisement très heureux ! »

Il fallait qu'un jour, je le lui dise…

Qu'il sache… Il a été, à lui seul, « toutes mes petites fioles de lumière et de fleurs » ! Avec toutes ses qualités professionnelles et humaines pleines de chaleur, il a éclairé, de sa discrète lueur, mes trois années de pur bonheur !

Il a accompagné, avec bienveillance, ma belle fin de carrière ! En coulisse, à ma dernière audience. Il a assisté en me protégeant de délicates barrières.

Un jour, j'ai sauté sur une occasion : « Une petite phrase » dans ses vœux pour l'année 2020. J'ai osé, je l'ai fait ! Sinon, je l'aurais regretté !

Expéditeur : Christian
Destinataire : Catalina

« Catalina, que cette nouvelle année, nous apporte bienveillance, tolérance, sérénité, partage et surtout joies. Que notre quotidien professionnel soit déjà agréable et nous fasse oublier nos petites misères, ou du moins ne les aggrave pas. Je sais l'avoir ici, j'espère te l'apporter. »

Expéditeur : Catalina
Destinataire : Christian

« Bonjour "patron" !
Je n'ai pas pu m'empêcher de te répondre, par rapport à ton allusion, au quotidien professionnel agréable que tu espères m'apporter.

Lorsque nos idées et nos pensées nous font fondre, il faut se lancer et les partager afin d'éviter de se dire : dommage, c'est regrettable, j'aurais voulu qu'il sache…

Travailler en ces lieux avec toi comme directeur est un très grand et réel bonheur. Merci pour tout ce que tu nous apportes au quotidien et ton investissement sans demi-mesure.

Pour tout cela, et bien plus encore, sache une chose :

Un jour, l'école et ses murs devraient avoir l'honneur de porter ton nom. »

Expéditeur : Catalina
Destinataire : Christian

« Merci pour cette confiance que tu me témoignes en m'adressant toutes ces pages si belles, si poignantes, si émouvantes. Mais surtout, je n'ai pas pu continuer, car ma vue s'est brouillée, […] »

Expéditeur : Christian
Destinataire : Catalina

« Je plaide pour que tu continues à distance mais l'école ne sera plus pareille.

La décision que tu vas prendre est difficile, l'école a besoin d'enseignants comme toi. Maintenant, je comprends que tout dépend de « JOE » qui t'accompagne à tes côtés sans respecter ta vie privée ! »

L'histoire a voulu que je commence par mes collègues, qui dans mon lieu de travail m'ont aussi bien accueillie.

Dans ce dernier tournant de ma vie professionnelle, dernière ligne droite et précoce d'un métier fusionnel. Je sais que mon arrêt est pour bientôt. Son arrivée pointe le bout de son nez. Dans ces lieux, je savais qu'avec eux, je finirais sous de beaux cieux mon travail si précieux.

Maintenant, je pense à ma seconde adolescence

C'est en notant ces mots, ces lignes où je raconte les plus beaux moments de ma petite carrière et les plus beaux moments de ces derniers mois que je forme, sous ma plume, comme une préface. Cette préface, je la façonne, je la sculpte avec minutie et précision, ainsi elle a pris une jolie forme.

Expéditeur : Christian
Destinataire : Catalina

« Je souhaitais attendre le 6 juillet pour te répondre [...]

La vie est bien injuste [...] Comme celle de te voir abandonner ce métier, où tu excellais ! [...] En ce jour anniversaire...

Je tiens à te redire toute la chance que j'ai eue de te rencontrer et de t'avoir à mes côtés dans l'école. La chance d'avoir un sourire, un mot réconfortant lorsque les événements se précipitaient [...], la chance d'avoir de la reconnaissance, de la bienveillance, à laquelle nous aspirons tous dans ce métier. Je parle de moi, mais c'est toi qui dois être la vedette ! Toi qui à travers une prose si réfléchie, recherchée [...] Toi qui avais en peu de temps, par ton professionnalisme, gagné la confiance des parents si importante dans notre métier.

Septembre sera différent [...] Un grand et énorme joyeux anniversaire ! »

Voilà, je n'y étais pas !

Expéditeur : Christian
Destinataire : Catalina

« 31 août, prérentrée des enseignants et journée qui fut bien particulière.

— Le Tour de France qui a lieu un jour de rentrée, ce n'est pas possible !

— Et surtout, plus de Catalina !

Où es-tu passée ? Où as-tu caché ton sourire, tes petites remarques réfléchies et sensées qui nous interpellaient ? Demain, avec les élèves, il y aura un énorme vide ! »

Expéditeur : Christian
Destinataire : Catalina

« Le 1er septembre, jour de rentrée. Quatre nouveaux avec leurs parents, et pas de Catalina pour me décharger et m'aider à accueillir plus chaleureusement les élèves [...] Je n'ai rien dit aux parents ! Ils n'ont rien dû comprendre ! Mais où est madame Rancurel ? »

Au bout de ces pages, voilà la réalité des faits ! Jamais, je ne l'aurais envisagé. Comme quoi il est certain que nous ne savons que peu de choses.

Mon tableau *Chef d'œuvre d'une vie* décrit parfaitement cet épisode. D'ailleurs à cet endroit, la toile est un peu abîmée. Oui, écorchée telle une déchirure !

Cependant, nous restons auteurs de nombreux chapitres du roman de notre existence. Je vais tout d'abord faire restaurer cette griffure !

J'ai commencé ma nouvelle vie. C'est parti, l'écriture d'une grosse encyclopédie pleine de réalités, de douceur et de belles rêveries pour accompagner mes jolies nuits !

Le Petit Prince, et moi...

« Bonjour Catalina, quelle belle journée, ne trouves-tu pas ? » Sans réponse de ma part, je sens son regard scrutateur sur mon visage. Puis, après avoir pris soin de bien m'observer, Le Petit Prince ajouta « De toute évidence, non, je crois bien que je me suis trompé. Je vois, finalement, des nuages gris dans ton esprit. Tu as l'air contrariée, Catalina *?* Que se passe-t-il ?

— Tu es bien aimable Petit Prince. Cependant, tu ne peux rien faire face à mon désarroi !

— Explique-moi les choses qui sont à l'origine de cette ride entre tes sourcils et obscurcissent ton regard. Si tu éclaires mes lumières, je ferai en sorte de tout mettre en œuvre afin de t'apporter mon aide ? Catalina, tu comprends bien que pour cela, il est nécessaire que tu te confies ? Alors, je t'écoute, raconte-moi !

— Mon petit, les contenus de mes interrogations et la provenance de mes tourments sont tellement vastes. Oh oui ! une immensité incroyablement plus étendue que le désert dans lequel nous nous trouvons. De ce fait, je ne sais pas par quel bout commencer ?

— Écoute, peu importe... Lance-toi ! L'essentiel est de débuter, ensuite, les idées viendront naturellement, tu verras, et peu importe leur ordre. Mais surtout, ne reste pas dans ton silence !

— D'accord ! voilà, ce qui me désespère et m'attriste, c'est le mépris et manque de considération des humains pour une certaine maladie ! Je n'aime pas son vrai nom qui est Parkinson. Alors, nous allons la nommer « Joe », si tu veux bien ? J'ai horreur d'entendre sa véritable appellation, pour la simple et bonne raison que j'en suis moi-même accompagnée. En ce qui me concerne, c'est tout simplement pour alléger ma sphère quotidienne que j'ai pris certaines résolutions, dont celle d'occulter ce mot de trois syllabes. Pourquoi, te demandes-tu probablement ? Tout simplement, gamin, afin d'éviter qu'elles ne m'envahissent, dans mes pensées. Cependant, moi, je la connais par cœur, à son égard, j'ai énormément de rancœur. Heureusement, j'ai une immense chance, mon « Joe » n'a pas trop mauvais caractère. Il est vrai que, contrairement à d'autres, il n'est pas des plus méchants. De plus, je le combats en permanence, de façon à ce qu'entre lui et moi, il y ait toujours de la distance.

— J'ai aimé écouter tes premières paroles, Catalina. J'ai compris quelle était la base de tes ennuis. À présent, explique-moi le profond de tes tourments ! Ceux qui sont, véritablement, à l'origine de cette empreinte creusée sur ton front ?

— Ma grande préoccupation ; dont je n'ai pas l'once d'un soupçon de compréhension, est que sur la planète Terre, rares sont ceux qui connaissent cette vilaine chose qu'est « Joe » ! D'une part, parce qu'ils ne s'y intéressent point ; d'autre part, parce qu'il est méprisé. Voilà quel est le mot exact qui me fait froncer les sourcils. C'est le « mépris pour cette maladie », dénommée Parkinson, qui dans notre conversation sera nommé « Joe ».

— Alors, Catalina, ce n'est pas le fait d'avoir rencontré ce fameux « Joe » qui t'interpelle, c'est le mépris qu'il appelle ?

— Oui voilà, même très loin des réalités des complications humaines, sur ta petite planète, tu comprends tellement vite mon ami ! Bien mieux et bien plus rapidement que ceux qui vivent sur la plus belle planète de la galaxie.

— Pourtant ! Il n'y a rien de compliqué, Catalina. Simplement, je t'entends ; puis, je t'écoute, j'analyse… et de ce fait je comprends ! Alors, poursuis, je suis curieux…

— Cette pathologie est très peu connue et reconnue par la plupart des humains. Certains disent qu'ils savent mais, en fait, ils ne savent que peu de choses. Tellement peu que cela se rapproche du « rien ». Pour eux, c'est une maladie qui fait trembler et qui ne touche que les personnes âgées ! Je trouve cela tellement décevant ! En fait, ceux qui savent réellement sont, principalement, les personnes qui en sont atteintes, leur famille ou encore leur médecin.

— Ah ! Raconte-moi encore ? Sur ma petite planète, il n'existe pas ! Dessine-moi celui que tu appelles « Joe », s'il te plaît, demande le Petit Prince !

— Le dessiner c'est impossible car toutes ses lignes sont incroyablement nombreuses et toutes entremêlées… En tout cas, une chose est certaine, il est bien moins beau qu'une belle rose…

pour tout dire, il est franchement laid ! Donc, je ne peux pas te le dessiner !

Le Petit Prince ne se trouvant guère plus avancé m'interroge :

— Déjà qu'il n'est pas sympa ton « Joe » ! Moi, je pensais que les humains étaient là pour s'intéresser aux autres humains ?

Le petit bonhomme blondinet, vêtu de blanc, me fixa avec de grands yeux écarquillés. Son regard était profondément interrogateur. Son esprit quant à lui, était des plus songeur. En l'observant, il était clair que ses neurones naviguaient en pleine obscurité. Je voyais bien qu'il faisait l'effort, l'effort d'essayer de maîtriser ne serait-ce qu'un milligramme de logique dans ce que nous venions d'échanger.

En plein désert, malgré une chaleur des plus torrides, température accablante presque effrayante... dans ce climat pesant et loin d'être accueillant, il était tellement tourmenté par le non-sens de mes propos qu'il ne pensa même pas à ôter sa longue écharpe rouge, de laine tricotée, qui pourtant le faisait de plus en plus transpirer.

— Gamin, sache que c'est très compliqué, car en plus les « Joe » sont très nombreux et tous un peu différents. Les médecins disent qu'il y a presque autant de « Joe » que de personnes qui en sont atteintes ! Les signes essentiels sont là, chez nous tous ; ensuite d'autres vont apparaître et seront non similaires d'une personne à l'autre. D'autre part, les évolutions des « Joe » sont, elles aussi, très variables d'un individu à l'autre. Elles peuvent aller du plus lent au plus rapide dans son avancée. Cependant, je vais tenter... Oui, je vais faire l'effort de t'en esquisser un. Toutefois, mon petit dessin sera des plus simple. Comme je te le disais, lui donner une forme dans la totalité de sa réalité est beaucoup trop difficile.

Alors, je trouve un petit bâtonnet de bois tout sec, endurci par la chaleur torride et la sécheresse invivable de cette immensité désertique : immensité de désarroi, désert vide de logique. À perte de vue, dans cet espace sans limite, où même la ligne d'horizon ne laisse entrevoir qu'une infime et si lointaine solution.

Pour ne pas rester perplexe, devant cette situation complexe, je décide, entre l'annulaire et l'index, de saisir mon bâtonnet de bois et voilà que sans même réfléchir, je m'aperçois que malgré moi, dans le sable fin, ma main esquisse un cerveau à l'intérieur duquel je place des formes. Puis, comme si je voulais légender mon croquis, j'y ajoute des flèches en leur direction. À l'extrémité de celles-ci, j'écris en toutes lettres dans les grains de sable brûlants « neurones dopaminergiques ». Le Petit Prince tourne autour de mon schéma, comme s'il cherchait à comprendre dans quel sens, il fallait le regarder. Je poursuis ma démonstration de la manière suivante. À l'aide du revers de ma main, j'étale le sable, au fur et à mesure, sur ces neurones. Je les fais disparaître, en effaçant leurs formes, tracées au milieu de ces petits granulés bruns, qui de partout, nous entouraient. À voir sa mine, il était grand temps que je lui explique. Mon outil scripteur, le bâton, se transforme alors en une espèce de règle que je pointe sur la plus grosse des formes. À ma gestuelle, j'ajoute :

— Cette chose-là est un cerveau humain. C'est un peu comme le chef d'orchestre de notre corps... Avec « Joe », les neurones dopaminergiques sont touchés et dégénèrent ; puis disparaissent progressivement. La fonction de ces neurones est de fabriquer et de libérer la dopamine.

Le Petit Prince est stupéfait. Bien évidemment, puisque même si j'essaie d'être la plus simple possible ; pour lui, tout cela n'est que nouveauté. Il fait l'effort, oui le gros effort, de s'y intéresser. Il me questionne et je sens bien dans sa voix un accent se rapprochant du sentiment de l'étonnement, voire de la crainte.

— Mais ! Tu m'expliques que ton cerveau s'appauvrit ! C'est un peu comme si le chef d'orchestre n'allait bientôt plus avoir suffisamment de musiciens ? Sans eux, il n'y a donc plus de belle musique ? Qu'est-ce que c'est la dopamine ?

— Pour la première question, mon enfant, tu as tout à fait raison. S'il n'y a plus personne pour jouer des instruments alors, il n'y a plus de mélodie. Il en découle un autre fait, et non des moindres ! S'il n'y a plus de musique, il n'y aura plus de pas, plus de beaux pas de danse ! En ce qui concerne la dopamine, c'est un neurotransmetteur indispensable au contrôle des mouvements du corps. Donc, plus tu effaces de neurones dans le sable plus, cela signifie que lorsque tu as un « Joe », il faut que tu réfléchisses à tes mouvements, à tous les gestes du quotidien, qu'auparavant tu faisais de manière automatique sans même y penser ! C'est une maladie évolutive, c'est-à-dire qu'elle grandit sans cesse et on ne sait pas la guérir.

— Mais comment est-ce possible ? Vous les humains, vous n'avez pas trouvé de solution ?

— Malheureusement non. Cependant, il existe des médicaments. Tu en prends de plus en plus, les années passant. Quant aux traitements médicamenteux, ils sont extrêmement lourds et peuvent engendrer des effets secondaires variés. Parmi les humains, certains ont entendu parler d'interventions chirurgicales au niveau du cerveau ou encore de pompe qui libère dans ton corps la substance dont tu as besoin pour bouger. Alors, je suppose que tous ces gens doivent penser, ce n'est pas grave, puisqu'il y a un tas de possibilités. Mais non, pas du tout, car ce sont des solutions temporaires et qui ne conviennent pas à tout le monde. Même avec la chirurgie ou la pompe, les malades vont mieux pendant un moment ; mais rien n'y fait, la maladie poursuit son cheminement.

— Oula ! Mais ce n'est pas simple ton « Joe » !

— Non, ce n'est pas simple, tu as raison gamin... Et ce qui m'agace le plus et qui me donne cette ride entre les sourcils, c'est que d'autres maladies neurodégénératives comme Alzheimer sont connues par tous les humains. Mais bizarrement, « Joe », non... Cela se résume, pour eux, à une « maladie du tremblement de vieux » ! Cette simplification m'exaspère. Il m'est arrivé, plus d'une fois, d'analyser les gens dans la rue. Lorsque leur regard croise quelqu'un qui vit avec un « Joe » cela se voit forcément. Les hommes qui ne comprennent rien, parce qu'ils ne savent rien, les observent fixement avec ce « mépris » ! Ce sentiment pour moi est complètement incompris, c'est alors que mon regard noircit davantage !

— Mais pourquoi les autres humains ne font pas l'effort de savoir ? Pourquoi ce mépris pour « Joe » ?

— Attends ! Blondinet, ce n'est pas fini. Je ne vais pas entrer dans les détails de « Joe » mais tout de même, t'expliquer autre chose. Parkinson concerne, en France, 200 000 personnes. D'ici quelques années, il y aura beaucoup plus de gens atteints par cette pathologie ! Déjà, en l'espace de 25 ans, la maladie a touché 2 fois plus de personnes ! Un de mes autres soucis est qu'elle atteint des gens de plus en plus jeunes, voire très jeunes, y compris ceux d'une vingtaine d'années !

— Mais il faut absolument que les humains fassent quelque chose ! Car tous ces gens n'ont rien demandé. Ils n'ont pas souhaité croiser la route de celui qui te cause tant d'ennuis.

— La plupart des hommes ne savent pas non plus que c'est la deuxième maladie neurologique juste après Alzheimer.

— Oui, j'ai déjà entendu parler de cet « Alzheimer ». Il y a encore autre chose d'important que les humains devraient savoir ?

— Oh ! Un tas de choses... Cette maladie est vraiment très compliquée, elle est silencieuse et sournoise. Elle provoque bien des misères et des douleurs. « Joe » est la deuxième cause de handicap moteur d'origine neurologique après les AVC.

— Donc c'est simple, en fait si les humains ignorent tout cela, il faut leur dire, il faut le crier très fort ! Je vais réfléchir et trouver une solution. Ce n'est pas normal, je vais t'aider !

À mon tour, je le regarde d'un air songeur, car il est capable de mener des analyses réfléchies, ce petit. Je reste silencieuse et j'attends impatiemment et remplie de curiosité. Je languis ses idées.

Voilà que je décide de m'asseoir sur ce sol si chaud, mais peu importe. Le Petit Prince fit de même, à mes côtés, tout en observant les étoiles et il se mit à longuement réfléchir. Au bout d'un instant, ce personnage, tellement innocent, avança la chose suivante :

— Pour commencer, tu vas résumer toute notre conversation ! Puis, l'on trouvera un bon éditeur. Ensuite, nous lui demanderons d'imprimer sur des papiers, aux couleurs vives et gaies, l'ensemble des propos que tu m'as tenus. Dans mon plan, voilà comment je vais m'y prendre. Du haut de ma petite planète, j'agirai, avec un peu de magie, en faisant tomber par milliards ces petits imprimés multicolores. Je procéderai de la même manière, pendant des semaines entières, de jour comme de nuit. Tels des papillons aux multiples couleurs, ils virevolteront dans les airs, de partout sur la Terre. Ainsi, la

Planète Bleue et tous les Terriens en seront inondés. De ce fait, ils ne pourront plus ignorer !

L'enfant, coiffé façon Playmobil, me regarde sans comprendre… Oui, ma réaction à ses derniers propos tardant à venir et créant un silence pesant. Devant sa tout immense innocence et son incrédulité démesurée, que répondre ?

— Certes, mon garçon, ton idée est bonne. Mais je pense qu'il faudrait bien, bien, bien plus de choses puissantes dont, j'ignore même l'existence… pour que les êtres sur Terre sortent de leurs cratères et nous considèrent !

Je prends alors une grande inspiration pour conter à cet être qu'il vaut mieux qu'il demeure sur sa petite planète. Ne pas aller visiter celle que de tout là-haut, il voit toute bleue. Celle qui inviterait à un voyage heureux.

J'ai lu, dans l'esprit du gamin, une grande incompréhension. J'ai eu envie de le prendre dans mes bras et de l'embrasser. À cet instant, je l'entends encore me demander :

— J'ai besoin d'un peu de tendresse, tu pourrais dessiner un baiser, s'il te plaît, Catalina ?

À ce moment-là, ma ride disparut tout comme la noirceur de mon regard. Il avait bien eu raison au tout début de notre conversation, en insistant, pour que je lui parle. Que je ne demeure pas dans mon silence. Avec grand plaisir, mon Petit Prince. Je peux même te prendre dans mes bras, te serrer très fort et t'embrasser tendrement. C'est avec plaisir que je vais te dessiner un magnifique baiser ! L'affection et l'amour sont comme la plus splendide des roses et ça, je sais le dessiner !

Je serrais le mioche adorable dans mes bras jusqu'à l'étouffer. Sa montre se mit à sonner, comme un rappel programmé, signifiant : « Il est l'heure de rentrer. » Il était bien contre mon cœur, alors il y resta de longues minutes. Ce fut un instant d'immense bonheur ! Pendant ce temps, retentissait de manière régulière, autour de nous, dans ce désert, la sonnerie qui sortait de son boîtier... Nous étions bien loin de toute réalité de l'humanité, les yeux fermés pour savourer plus puissamment ce majestueux moment...

Ce bruit incessant finit par me faire entrouvrir les yeux. L'enfant n'était plus à mes côtés ? Mais, où était-il passé ? Il m'a fallu du temps pour réaliser...

Il s'agissait, en réalité, du son agaçant, bien peu agréable, du réveil de mon téléphone. Il me rappelait qu'il était temps de se lever. Ce matin, j'avais rendez-vous avec ma neurologue. Dommage, j'aurais tant adoré poursuivre mon rêve avec ce petit être charmant, si innocent !

Alors, j'ai baillé pleine de regrets, regrets de m'être réveillée ! Ma première pensée fut d'espérer retrouver, à nouveau, et au plus vite, ce personnage de Saint-Exupéry, dans de nombreuses nuits. Nuits de douces rêveries !

Xᵉ rendez-vous chez ma neurologue

Je prends ma voiture. Elle connaît le chemin par cœur, sans hésiter, sans même réfléchir, la brave mécanique me conduit tout droit chez ma neurologue.

Le temps passe vite ! À raison d'environ deux visites annuelles ; sachant, cependant, que la première année, j'ai dû m'y rendre au moins cinq fois. À la louche, je dirais que cela fait une petite vingtaine de rendez-vous à mon compteur. Je confirme, la poussière de sable s'écoule bien rapidement, sous mon regard impressionné !

Oui… Le temps s'égrène, dans une espèce de « sablier de la vie » imposant, composé de deux fioles de verre transparentes. Cependant, celui-ci a une particularité qui lui est spécifique, il est impossible de le retourner et de faire passer son contenu d'une bulle soufflée à l'autre. Non ! Lorsque les particules de sable sont descendues, c'est irréversible !

Me rendre à ces consultations n'a jamais été évident. Cependant, ce matin, je me surprends à n'avoir aucune appréhension, très sincèrement ! Après une rapide analyse, je comprends pourquoi. Parce que je me sens particulièrement bien dans mon enveloppe corporelle. Je suis bien plus reposée. Mon corps est détendu. J'ai incroyablement gagné en souplesse. Mon équilibre ne me pose aucun problème. Ma démarche est fluide…

Comme d'habitude toujours très coquette, j'ai choisi la bonne toilette. C'est excellent de prendre soin de soi, de son apparence, d'avoir un regard bienveillant sur son être ! L'estime de soi pour avoir un moral gagnant. Être plus sûr de l'image que l'on renvoie conduit immanquablement à avoir fière allure et davantage de prestance !

Surtout, souvenez-vous que « Joe » « donne l'air » ! Il faut absolument le combattre et s'en défaire ! Que les choses soient claires, nous ne sommes absolument pas dans une approche, même pas un soupçon, de narcissisme ! Bien loin de moi ce propos !

La première des priorités, la plus importante, la chose essentielle, c'est ce que votre miroir vous renvoie ! Afin d'éviter de vous répéter en boucle : « Mais qu'est-ce que tu as mauvaise mine ! » À force de vous le redire, tout comme défile un trente-trois tours… Vous finissez par vous laisser envahir par ce mauvais reflet que capte vos yeux, au travers de cet objet réfléchissant. Puis, votre système oculaire transmet l'information à votre cerveau. Ainsi, il vous fait voir la journée en noir !

Attention, à ce que ces jours sombres ne se multiplient pas ! Car s'il y a trop d'accumulation, alors vous serez à l'initiative de votre propre dépression ! À cela, il vous faut réagir et ne pas pâlir !

Bref, ce petit rappel étant fait, revenons au fil de mes faits.

Lorsque j'entre dans son bureau, la première des choses que je fais après l'avoir saluée… et d'afficher un grand sourire un peu malicieux en lui disant :

« Ah ! Docteur, vous avez mis de la couleur ! »

Je fais un petit tour d'horizon à trois cent soixante degrés. Au-dessus de la table d'auscultation : deux petits tableaux carrés très colorés, en face de son bureau, un très grand cadre abstrait, mais lui aussi utilisant les couleurs primaires si sincères !

Des tableaux non figuratifs même complètement abstraits, une espèce de mélange de pseudo Picasso et de dessins enfantins de tout petits qui découvrent l'instrument appelé pinceau ! Mais peu importe ; enfin, du rouge, du jaune, du bleu, du vert… Cela change cet univers !

Je me mets à compter à voix haute : « 1, 2, et un troisième… » Au moment où je me retourne, pour la regarder et poursuivre ma phrase, je m'aperçois qu'en plus, elle a placé de grands stores à lattes métalliques rouges !

« Qu'est-ce que c'est agréable, Docteur, d'avoir de la couleur ! Cela égaye et met tellement de chaleur ! »

Vu que nous sommes devenues un peu plus intimes : elle sait que j'écris depuis quelque temps. Pour la première fois, je lui avoue qu'à l'occasion, lorsque j'aurai bouclé mes lignes, elle pourra découvrir les premières descriptions que je fais de son bureau tout blanc ! Alors, elle me renvoie un sourire radieux avec de grands yeux rieurs comme si elle n'était, au final, pas surprise par mes propos sur les couleurs !

Peut-être qu'entre-temps, elle avait été grand-mère et qu'elle exposait les premières réalisations artistiques de son petit-fils ? Peut-être que c'est elle-même, personnellement, qui s'est lancée dans cette nouvelle passion ? La peinture, ça détend ! Peut-être, serait-ce un nouveau test pour une tout autre pathologie neurologique ? Vérifier que le patient distingue formes difformes et couleurs ? Peu importe, pour ma plus grande joie, il n'y aura plus de nouveaux cas de personnes qui vivront l'aventure d'être absorbées par ce blanc omniprésent ! Désormais, il y a des touches colorées sur les murs, un peu partout, comme si des ballons heureux, remplis de peinture, avaient joyeusement éclaté !

Revenons à celle qui passe ses journées entières dans ce nouveau décor, c'est-à-dire ma neurologue. C'est une femme charmante, humaine, très abordable et qui sait instantanément mettre à l'aise. Je suis heureuse d'avoir composé son numéro de téléphone pour la première fois, au hasard, il y a plus de six ans ! Ce fut une bonne pioche dans ma partie de cartes… Excellent et fabuleux As !

Retour à la consultation. Nous commencerons, comme d'habitude, par un long entretien autour de son bureau. Déjà, là vous savez qu'elle a sorti sa loupe et qu'elle a revêtu sa tenue de détective. Elle est attentive à chacun de vos mouvements même les plus infimes.

Elle a l'œil tellement averti ! Elle n'est pas seule à mener les investigations, ce n'est pas possible. À ses côtés, il doit y avoir Sherlock, voire le fidèle Watson ! Ce n'est plus sous la loupe que vous passez, mais tel un petit microbe sous un gros microscope, une poussière d'étoiles dans la visée d'un énorme télescope. Tout est passé en revue : votre regard, la symétrie de vos lèvres, votre élocution, votre articulation et bien d'autres choses encore… Simultanément, alors qu'elle vous observe et vous analyse, elle vous pose un tas de questions bien loin d'être anodines. En même temps que son cerveau vous découpe visuellement en petits morceaux, elle va aussi disséquer toutes vos réponses à son long questionnaire !

C'est de tout cela qu'est née de mon imagination la réflexion : m'interrogeant : « Comment fait-elle pour mener son affaire ? »

Elle est forcément assistée d'un Sherlock et un docteur Watson, tous deux invisibles à mes yeux ?

Suivront les tests d'écriture, différents exercices d'équilibre, une analyse minutieuse de la marche dans l'espace... Des allers-retours, en avant en arrière, avec les yeux fermés et d'autres tests. Sur la table d'auscultation, on continue... S'attraper le pouce qui se déplace dans l'espace, les yeux fermés, et toute une batterie d'exercices de coordination. Elle vérifiera vos réflexes puis votre vision... En fait, dans son arsenal, elle détient tout un tas de munitions d'exercices à vous proposer à la chaîne !

Dans un troisième temps, nous repassons à son bureau et la discussion se poursuit. Tiens, mes personnages de fiction, Sherlock Holmes et James Watson ne sont plus dans le cabinet !

J'ai fait une liste, afin de ne rien oublier, de tous mes ressentis du moment :

« J'ai toujours ces périodes de fatigue, qui peuvent être très importantes et survenir à n'importe quel moment. Ces journées où elles me pèsent tellement que, dès le matin, je peux m'inscrire sur la liste des abonnés absents. Mes douleurs au niveau du dos sont toujours plus ou moins présentes. Cependant, je dois bien avouer, je les réveille en fonction de mes activités et je ne suis pas toujours des plus sages. Les tendinites aux coudes sont toujours plus ou moins présentes, elles aussi, comme celles au niveau des épaules. Par moment, elles disparaissent complètement. Puis, elles reviennent, surtout si je ne me suis pas écoutée ! Il est habituel que j'entende de la part de mes chères kinés : « Mais Madame Rancurel, qu'est-ce que vous avez encore fait ? » Lorsque les douleurs réapparaissent, il faut des semaines pour les faire taire ! Il est vrai que je ne nage plus comme dans le passé. Je suis prudente car je ne veux plus que le petit poisson lune fasse « la une ! » Certains effets secondaires du traitement, notamment les nausées en matinée. »

Maintenant, reste à voir ce qu'elle va en penser ?

Après m'avoir écoutée, elle me dit :

« Mais ça, Madame Rancurel, ce n'est pas grand-chose du tout, ce n'est même rien ! »

Ce sur quoi je la rejoins mais je veux simplement que toutes les choses soient clairement dites et entendues.

Puis vient son tour de faire son « résumé/bilan » de la situation. Avec son fabuleux accent à couper au couteau, tonalité du Midi comme si des cigales s'envolaient, par magie, de sa bouche !

« Franchement Madame Rancurel… Hein ! Cela fait des années que je vous connais. Je vous ai vu plus ou moins bien. Mais, alors comme ça ? Madame, c'est la première fois !

C'est tout simplement incroyable votre état est d'une part, stabilisé ; mais il est même comme amélioré… Je suis très heureuse ! Ce que je vois est au-delà de mes espérances ! Vous vous occupez parfaitement de vous et cela vous réussit à merveille. C'est un trésor que je tiens, absolument, à ce que vous conserviez ! »

Bien évidemment, à l'écoute de tous ces longs discours, plus que positifs et encourageants, mon sourire est éclatant. J'ai l'impression d'entendre les mêmes propos que mon ostéopathe, qui, faisant défiler mon dossier sur son ordinateur, me dit :« Depuis le temps que nous nous voyons, vous allez rudement mieux ! C'est formidable ! Pour une maladie dite évolutive et bien c'est du bonheur, ne changez rien Mme Rancurel ! »

De plus, il est vrai qu'en faisant attention, j'ai également perdu 9 kilos ce qui est énorme pour se sentir mieux dans la gestuelle et dans le mouvement. Ces 9 kilos en moins à porter au quotidien pour 1,58 m, ce n'est pas rien !

Je lui répète que j'ai un moral gagnant et que je serai toujours plus forte que l'autre. Elle sourit, car elle aime entendre ces mots remplis d'optimisme, le fait de voir les choses en positif aide à aller mieux dans toute pathologie !

Prochain rendez-vous dans six mois. Je repars monter sur mes fabuleux ressorts conçus de ce fameux alliage. Ils me font toujours rebondir du bon côté du rivage et, à cet instant, je les sens encore plus puissants, plus forts, me faisant faire de grandes enjambées tel le personnage aux *Bottes de sept lieues* dans la nouvelle de Marcel Aimé.

Bouquet final, feu d'artifice, lorsqu'en ouvrant la porte pour me saluer, elle me lance « Tiens, hein… Mme Rancurel, vous êtes le rayon de soleil de ma journée ! »

Alors là, croyez-moi bien, des ailes me sont poussées. C'est en volant que je suis sortie de cette consultation. Oui, en volant, tel un joli moineau heureux, tout en sifflotant, comme pour annoncer l'arrivée du printemps !

En ce qui concerne *le jeu de cartes du destin,* j'ai fait là une excellente partie de poker.

Quant à mon tableau : je suis un si bel oiseau qui vole avec douceur dans la fraîcheur ! J'ai le pouvoir d'admirer une vue magnifique et panoramique, en un mot, je vis un instant magique ! Mes yeux scrutent sans en laisser une once non découverte pour, à jamais, tout inscrire dans ma mémoire ! Voilà un moment de bonheur et une bonne dose de dopamine !

Cependant, je n'ai pas, bien évidemment, d'ailes sur mon dos. Toutefois, il semblerait que je l'ai, pendant un instant, réellement cru...

À propos de votre image dans le miroir

Il s'agit là de se faire du bien, être bienveillant envers soi. Prendre soin de soi face à son propre miroir. Pour se sentir bien dans sa tête, être épanoui ; il faut commencer par s'aimer. « Aime-toi, la vie t'aimera ! »

Afin d'être plus à l'aise avec les autres, pensez d'abord à être en harmonie avec vous-même !

Ainsi, il vous sera plus facile d'entretenir des relations sociales et humaines ! Ce qui rejoint inévitablement l'idée développée à propos de l'attitude qui vous amène vers l'autre pour lui tendre une main, une poignée généreuse d'aide.

Cependant, ce domaine aussi se travaille. Il faut vous engager dans la démarche avec constance et persévérance. Comme l'on entretient un jardin qu'il soit « d'amour », « de bonheur » ; souvenez-vous... on entretient aussi son beau lot de terre « d'estime de soi. »

Cette vérité humaine est encore plus vraie lorsque l'on est accompagné de « Joe », car celui-ci ne nous redresse point le dos ! Il aurait tendance à vous lancer ce même défi ; sans obligeance de « non-élégance ! »

Alors, il faut réagir au plus vite, de manière plus intense que n'importe quel autre être humain. Si vous marchez dans les pas de « Joe », vous allez vers le « laisser aller ». Celui-là vous conduira, à son tour, insidieusement, vers votre « propre mépris ». Mépris de votre miroir qui criera « Oh ! Désespoir ! » Et vous traînera dans le long couloir du noir...

Ce que vous pensez de vous-même façonnera votre avenir.

Vishwas Chavan

Ainsi, lentement, mais sûrement et sournoisement, vous entrerez dans un cercle vicieux : celui de la mésestime de soi avec, par exemple, la prise de poids. Là, je vais parler du fait de grossir, non pas à cause des traitements, mais à force de ce que vous allez mettre dans votre bouche afin de compenser votre désarroi !

Du coup, vous allez donner plus d'importance au regard des autres, vous vous sentirez jugé, et envahi, entouré, cerné par la dévalorisation !

Tu vaudras aux yeux des autres ce que tu vaudras à tes yeux.

Proverbe latin

C'est pour cela que j'explique, par exemple, qu'étant coquette, je choisis ma toilette avant de me rendre à un rendez-vous. Je me place dans une position de bien-être et d'estime de moi. Je fais la tentative de me mettre en valeur... Je me donne force et sérénité.

Je préfère, et de bien loin, ce « *cercle aimable* » qui lui est loin d'être « *vicieux* ».

Lorsqu'on fait un effort, on s'aime.

Jean-Marie Poupart

« Bonheur » pourrait être le titre d'un immense puzzle dont chaque pièce aurait une très grande importance.

Des activités pour se faire plaisir, des occupations pour se détendre, des moments pour prendre soin de soi, etc.

Il y a tant de pièces à assembler, entre-elles, pour fabriquer votre fabuleux est unique « puzzle de bonheur et de joie, » celui-là même qui appartiendra à un être « heureux ».

Vous comprendrez à présent que prendre soin de son apparence est très utile et bien loin d'être futile ! Ne pensez-vous pas que c'est un pas supplémentaire vers le bonheur ?

L'estime de soi, c'est la réputation qu'on a de soi-même.

Branden

Prenons du recul

J'ai commencé ma narration en vous expliquant l'apparition des tout premiers symptômes. Je les nommerais « signes précurseurs » ou encore « signes avant-coureurs », comme la perte olfactive. La disparition progressive mais certaine de toutes les odeurs de mes mondes intérieurs ou extérieurs. Tout a débuté aux alentours de mes 37 ans, peut-être un peu avant ? Avec certitude ? Cela devient difficile, voire impossible, de vraiment se repérer dans le temps, car les choses se sont faites lentement, en un mot sournoisement.

Je me souviens de ce passé insouciant. Malgré analyses, les imageries passées à de multiples reprises à la recherche de polypes ou tout autre anomalie, mais rien ! Bilans sanguins, clichés ne révélaient pas l'once d'une prémisse d'ombre à l'horizon de l'envahisseur. Durant tout ce temps, je prenais un comprimé rond bleu pour atténuer les allergies diverses et variées qui faisaient que mes muqueuses étaient bien irritées. Voilà, le diagnostic était posé.

Loin de me douter que des années plus tard, il serait toujours bleu, plus gros et ovale, dont la composante principale s'appellerait « dopamine ». Autrement dit, une dizaine d'années avant l'annonce officielle du diagnostic en 2015, époque où les tout premiers signes moteurs faisaient leur apparition. Ils sont bel et bien là, vous les ressentez, ils vous gênent, mais vous les occultez. Vous ne leur accordez pas leur importance, tout comme s'ils étaient les simples signaux d'une petite fatigue passagère.

Dans la plupart des cas, c'est votre entourage qui vous alerte. Oui, c'est eux qui font passer le feu du « vert » à « l'orange ». Puis, avec le temps, il passera de « l'orange » au « rouge. » Tout d'abord, l'on note simplement le signalement d'une anomalie. Ensuite, après de multiples investigations, des mois et des mois de recherche, alors la couleur rouge qui était au début claire devient d'un pourpre lourd et épais. Un jour, un jour, vous savez, enfin, quelle est la cause de tous vos tourments.

J'ai écrit pour expliquer que j'ai cherché, à l'époque, des témoignages, des exemples de vécus, car chacun a son « Joe » et chacun a sa propre histoire avec lui. Cependant, bien peu de choses j'ai découvert, bien peu de choses j'ai pu lire, malgré un besoin urgent, car tout simplement « humain ».

Le désir d'être quelque peu moins assaillie par tous ces propos théoriques, médicaux qui, assemblés entre eux, vous font apparaître un futur tout en noir !

Pour couronner le tout, l'avenir était toujours accompagné, comme s'il l'avait adopté et ne pouvait plus s'en passer, d'un métronome. Ou une chose y ressemblant, un quelconque appareil similaire faisant défiler un compte à rebours. Calculant précisément tel un mathématicien, toujours de la même manière incontournable, un avenir en quatre étapes, allant du gris clair à l'obscurité la plus totale !

Cela m'a fâchée, fortement agacée ! Furieuse de ne pas lire plus d'auteurs inscrire ne serait-ce que la lueur discrète d'une lune dans cette obscurité profonde. Expliquer comment activer cette présence lumineuse et lui donner plus d'ardeur et de chaleur.

J'ai vécu des moments où la clarté n'a fait que grandir. J'en mesure, oh ! Combien la chance ! Je vous assure du gris foncé, je suis passée par du plus clair, pour arriver aujourd'hui à quelque chose de similaire au blanc. J'y ai même glissé, une merveilleuse pointe de rouge ! Je remarque aussi, tout en souriant, dans mes histoires de couleurs, au fur et à mesure, de l'éclaircissement de mon nuancier, l'apparition d'un phénomène m'ayant marqué ! Oui, curieusement, même le cabinet de ma neurologue si blanc, tout au début, sur mon dernier rendez-vous avait pris étonnamment de couleurs ! Cela peut paraître un détail, cependant, j'avoue qu'après réflexion, il m'a comme interpellée, dans ma réalité.

Je ne suis pas guérie, je suis stabilisée avec une amélioration remarquée et remarquable par tout le corps médical. Ma neurologue me dit : « c'est au-delà de mes espérances, Madame Rancurel ».

Bien sûr, je ne peux pas vous décrire mon avenir. Cependant, j'ai trouvé le bon chemin ! J'emprunte le même, je marche sur les pas d'une belle rencontre, d'une femme de soixante-huit ans, aux yeux clairs, que je vais copier dans son destin. En tous cas, je vais m'y appliquer avec grands soins !

Je l'ai vue, de mes yeux vu, cette femme aux mocassins. Elle a illuminé pour ma petite éternité mes nuits devenues, grâce à elle, toutes étoilées avec en leur centre, une lune épinglée, telle la plus belle des opales.

J'ai saisi le stylo pour écrire tous ces mots. Ils ne sont que la transcription de ce que réellement je vis. Je trace ma destinée avec pour seul objectif, du moins le plus important, le plus éclatant, même s'il est ambitieux, de vivre pour le mieux avec cet impertinent en le rendant paresseux. C'est lui qui subit !

J'ai repris toutes mes bonnes habitudes, celles choisies avec plaisir pour qu'il n'y ait point de lassitude. Avec persévérance je m'attelle à mon programme. Toujours dans la régularité et la constance, je pratique tous mes exercices et l'ensemble de mes activités. Je fais tout pour m'occuper de moi et depuis presque deux ans les résultats sont visiblement bien là !

Moi, Catalina, je continue mon bonhomme de chemin, chaussée de mes mocassins en daim, habillée de mon sourire intérieur et de ma meilleure humeur, à traverser tous mes moments de bonheur ! De jour comme de nuit… apprécier tous les moments de la vie. Toujours accompagnée de mon *jeu de cartes du destin et* mon tableau *Chef-d'œuvre d'une vie.* Tous les moments vécus seront saisis sur cette toile reposant sur un châssis, jusqu'au jour où il méritera, de par sa splendeur, d'être exposé dans une grande galerie !

Juste au-dessus de l'entrée, un nom, « Exposition des œuvres de la joie et de l'espoir. »

Épilogue

Vendredi 3 juillet 2020, pour toujours en mémoire…

En mémoire, dans mon petit grimoire
Les tout derniers témoignages
La suite de mon plus bel héritage
Dans mes pupilles qui servent de miroir.

Je lis ces mots, encore et toujours, si forts de sensation

Je me plais à sourire car, quel que soit l'endroit, quelle que soit l'année, juin est toujours plein d'émotion !

Les parents m'écrivent que je suis, une « étoile », un « ange »,
une « lumière » une « bonne fée »[1]…

Et si ? Et si ?

*Et si, cela était
vrai ?*

*… C'est là mon
grand secret !*

C'est avec cette fabuleuse énigme sous le bras et ses fameux
mocassins en daim rouge que Catalina poursuit son chemin !

Elle ne peut pas prédire le lendemain, en tout cas une chose
est certaine : elle sait comment le rendre des plus serein !

---

[1] Ce n'est pas moi qui l'ai écrit !

Imprimé en Allemagne
Achevé d'imprimer en juin 2021
Dépôt légal : juin 2021

Pour

Le Lys Bleu Éditions
83, Avenue d'Italie
75013 Paris